Επικοινωνήστε Ελληνικά

Μαθήματα 1 - 12

Βιβλίο Ασκήσεων Α΄

Κλεάνθης Αρβανιτάκης
Φρόσω Αρβανιτάκη

Επικοινωνήστε Ελληνικά 1 - Βιβλίο Ασκήσεων Α'

Εκδόσεις **ΔΕΛΤΟΣ**,
34 Solomou str., 10682 Athens, Greece
tel: 01 - 3813986, FAX 01 - 3300060

I.S.B.N. 960-8464-11-0
I.S.B.N. 960-8464-10-2 (set)

1 *Αντιγράψτε τις λέξεις*

1. γεια σας γεια σας
2. χαίρω ______
3. είμαι ______
4. Ελλάδα ______
5. εσείς ______
6. δικηγόρος ______
7. πολύ ______
8. καθηγητής ______
9. το ______
10. από ______
11. δουλειά ______
12. λέγομαι ______

2 *Γράψτε το γράμμα που λείπει*

1. Ελ λ άδα
2. μη __ ανικός
3. Ι __ αλία
4. δ __ υλειά
5. εί __ τε
6. γ __ ια σας
7. __ αλλία
8. Αγ __ λία
9. κά __ ετε
10. πο __
11. γιατ __ ός
12. λέ __ ομαι

3 *Γράψτε αυτές τις λέξεις με κεφαλαία γράμματα*

1. πού ΠΟΥ
2. Κώστας ______
3. εσείς ______
4. κάνετε ______
5. Βέλγιο ______
6. είμαι ______
7. δουλειά ______
8. μηχανικός ______
9. χαίρετε ______
10. πολύ ______
11. νοσοκόμα ______
12. Γιώργος ______

4 *Γράψτε αυτές τις λέξεις με πεζά γράμματα*

1. ΕΙΣΤΕ είστε
2. ΧΑΙΡΩ ______
3. ΤΙ ______
4. ΓΕΙΑ ΣΑΣ ______
5. ΛΕΓΟΜΑΙ ______
6. ΤΗΝ ______
7. ΛΕΓΟΜΑΙ ______
8. ΤΗΝ ______
9. ΜΑΘΗΜΑ ______
10. ΑΠΟ ______
11. ΔΙΠΛΩΜΑΤΗΣ ______
12. ΚΑΘΗΓΗΤΡΙΑ ______

5 *Βάλτε στα κενά τη σωστή λέξη*

1. Από ___την___ Γερμανία.
2. _________ δουλειά κάνετε;
3. Χαίρω _________ .
4. Από _________ Βέλγιο.
5. _________ μηχανικός;
6. Από _________ είστε;
7. Γεια _________ .
8. _________ από τον Λίβανο. Εσείς;

6 *Γράψτε το θηλυκό*

1. καθηγητής ___καθηγήτρια___
2. νοσοκόμος _________________
3. μηχανικός _________________
4. γιατρός _________________
5. γραμματέας _________________
6. διευθυντής _________________
7. δημοσιογράφος _________________
8. δικηγόρος _________________

7 *Βάλτε τονικό σημάδι (΄) όπου χρειάζεται*

1. ε ί μ α ι
2. π ο υ
3. λ ε γ ο μ α ι
4. Κ α ν α κ η ς
5. τ ο ν
6. δ ο υ λ ε ι α
7. Ε λ β ε τ ι α
8. μ η χ α ν ι κ ο ς
9. ε σ ε ι ς
10. α π ο
11. γ ε ι α σ α ς
12. δ ι ε υ θ υ ν τ ρ ι α
13. τ ι
14. π ο λ υ
15. Β ε λ γ ι ο

8 *Γράψτε τα αντίστοιχα στη γλώσσα σας*

1. γεια σας
2. λέγομαι
3. χαίρω πολύ
4. δουλειά
5. γιατρός / γιατρός
6. εσείς
7. Ελλάδα
8. από πού είστε;
9. καθηγητής / καθηγήτρια
10. τι δουλειά κάνετε;
11. κυρία
12. είστε

1 *Αντιγράψτε τις λέξεις*

1. όχι ____
2. πέντε ____
3. καλά ____
4. δεν ____
5. ευχαριστώ ____
6. τέσσερα ____
7. αλήθεια ____
8. καλημέρα ____
9. εφτά ____
10. κυρία ____
11. κάνετε ____
12. κύριε ____

2 *Γράψτε το γράμμα που λείπει*

1. δεσ __ οινίς
2. καθη __ ήτρια
3. ν __ ι
4. καλησπ __ ρα
5. κάνετ __
6. ό __ ι
7. δέ __ α
8. __ όσο
9. ε __ ώ
10. εμε __ ς

3 *Γράψτε αυτές τις λέξεις με κεφαλαία γράμματα*

1. εγώ ____
2. είναι ____
3. τι ____
4. κάνετε ____
5. τρία ____
6. ευχαριστώ ____
7. όχι ____
8. Αμερική ____
9. ναι ____
10. μηδέν ____
11. ρήμα ____
12. Αθήνα ____

4 *Γράψτε αυτές τις λέξεις με πεζά γράμματα*

1. ΕΣΕΙΣ ____
2. ΚΥΡΙΑ ____
3. ΑΛΗΘΕΙΑ ____
4. ΠΩΣ ____
5. ΧΑΙΡΕΤΕ ____
6. ΤΗΝ ____
7. ΕΙΝΑΙ ____
8. ΕΝΑ ____
9. ΘΕΣΣΑΛΟΝΙΚΗ ____
10. ΚΑΙ ____
11. ΑΣΧΟΛΕΙΣΤΕ ____
12. ΛΕΞΗ ____

5 *Κλίνετε το ρήμα "είμαι"*

Ενικός	Πληθυντικός
είμαι	

6 *Βάλτε το σωστό*

εμείς - αυτά - εγώ - ~~αυτή~~ - εσύ - ο Γιάννης - εσύ κι εγώ - εσείς - αυτοί

1. ___αυτή___ είναι
2. ____________ είμαστε
3. ____________ είναι
4. ____________ είστε
5. ____________ είναι
6. ____________ είμαι
7. ____________ είναι
8. ____________ είσαι
9. ____________ είμαστε

7 *Γράψτε στα κενά τον σωστό τύπο του "είμαι"*

1. εγώ ___είμαι___
2. αυτές ____________
3. αυτή ____________
4. εσείς ____________
5. εμείς ____________
6. εσύ ____________
7. αυτός ____________
8. αυτά ____________
9. αυτό ____________

8 *Βάλτε στα κενά τον σωστό τύπο του ρήματος "είμαι"*

1. Ο Κώστας ___είναι___ καθηγητής.
2. Ο Γιάννης κι εγώ ____________ από την Θεσσαλονίκη.
3. Η κυρία Καπόνε ____________ δικηγόρος.
4. Εσείς από πού ____________ δεσποινίς Σμιθ;
5. Αυτές ____________ από το Ισραήλ.
6. Εσύ ____________ γιατρός;
7. Αυτός ____________ δημοσιογράφος.
8. Εγώ ____________ νοσοκόμος. Εσείς τι δουλειά κάνετε;

9 *Απαντήστε ανάλογα*

1. "Είστε από την Ισπανία, κύριε;" "Ναι, ____ειμαι____."
2. "Ο κύριος Κανάκης είναι καθηγητής;" "Όχι, ________________."
3. "Ο Βιττόριο και η Λετίτσια είναι από την Ιταλία" "Ναι, ________________.
4. "Είσαι μηχανικός;" "Όχι, ________________."
5. "Πιερ και Μονίκ, είστε από την Αγγλία;" "Όχι, ________________."
6. "Είστε από την Ελλάδα, κυρία Αναστασιάδη;" "Ναι, ________________."
7. "Η Μάργκαρετ είναι από την Αυστραλία;" "Όχι, ________________."
8. "Είμαστε δέκα;" "Ναι, ________________."
9. "Είσαι διευθύντρια;" "Όχι, ________________."

10 *Γράψτε τους αριθμούς*

1. εφτά ___7___
2. ένα ________
3. δέκα ________
4. δύο ________
5. τέσσερα ________
6. πέντε ________
7. τρία ________
8. έξι ________
9. οχτώ ________
10. μηδέν ________
11. εννιά ________

11 *Απαντήστε*

1. Από πού είστε; ________________________________
2. Τι δουλειά κάνετε; ________________________________
3. Είστε από την Ελλάδα; ________________________________
4. Γεια σας. Τι κάνετε; ________________________________
5. Λέγομαι Γιάννης Πετρίδης. ________________________________
6. Είστε δημοσιογράφος; ________________________________

12 *Γράψτε στα κενά την σωστή λέξη*

- Καλημέρα σας, κυρία Αναστασίου.
- Α ... γεια σας. Τι _κάνετε_ ;
- ____________ καλά, ευχαριστώ. Εσείς;
- Είμαι ____________ , ευχαριστώ.
- Ο κύριος Αναστασίου;
- ____________ πολύ καλά, ευχαριστώ.
- Αλήθεια, ____________ καθηγήτρια;
- Εγώ; Όχι, ____________ είμαι καθηγήτρια. ____________ γραμματέας. Γεια σας.
- ____________ .

13 *Ποιο είναι το σωστό;*

1. Τι κάνετε; _β_
   (α) Είμαι μηχανικός. (β) Είμαι καλά. (γ) Είμαι από τον Καναδά.
2. Γεια σας. Κώστας Παναγόπουλος. _____
   (α) Χαίρω πολύ. Λέγομαι Άλισον Σμιθ. (β) Γεια σας. Εσείς; (γ) Πολύ καλά, ευχαριστώ.
3. Από πού είστε; _____
   (α) Είμαι καλά, ευχαριστώ. (β) Ναι, είμαι. (γ) Είμαι από το Βέλγιο.
4. Τι δουλειά κάνετε; _____
   (α) Όχι, δεν είμαι. (β) Είμαι γιατρός. (γ) Είμαι από την Ρωσία.

14 *Γράψτε τα αντίστοιχα στη γλώσσα σας*

1. καλημέρα σας
2. τι κάνετε;
3. πολύ καλά
4. ένα
5. ναι, είμαι
6. οχτώ
7. ευχαριστώ
8. πόσο κάνει;
9. όχι, δεν είμαι
10. τέσσερα
11. καλησπέρα σας
12. μηδέν

1 *Αντιγράψτε το κείμενο*

Η Μονίκ Μονσερά είναι από την Ελβετία και είναι δημοσιογράφος.
Τώρα δουλεύει στην Ελλάδα. Μένει στην Αθήνα, στο Παγκράτι.
Η Μονίκ είναι παντρεμένη αλλά ο άντρας της δουλεύει στην Ελβετία.
Έχουν ένα παιδί, τον Πιέρ. Ο Πιέρ μένει με τον πατέρα του.

Η Μονίκ Μονσερά ____________________

____

____

____

2 *Συμπληρώστε τα κενά*

Η Μονίκ Μονσερά _είναι_ από την Ελβετία __________ είναι δημοσιογράφος.
Τώρα __________ στην Ελλάδα. Μένει __________ Αθήνα, στο Παγκράτι.
__________ Μονίκ είναι παντρεμένη __________ ο άντρας της δουλεύει στην Ελβετία.
__________ ένα παιδί, τον Πιέρ. Ο Πιέρ μένει με __________ πατέρα του.

3 *Βάλτε το σωστό άρθρο στην ονομαστική*

1. _ο_ Γιάννης
2. _______ Ελλάδα
3. _______ Λονδίνο
4. _______ κυρία
5. _______ μάθημα
6. _______ Μαδρίτη
7. _______ Ανδρέας
8. _______ παιδί
9. _______ Πεκίνο
10. _______ καθηγητής
11. _______ Σόφια
12. _______ Καναδάς
13. _______ Χιλή
14. _______ Πέραμα
15. _______ Λίβανος

4 *Συμπληρώστε τα κενά*

Ονομαστική		Αιτιατική
1. _η_ Ισπανία	από	_την Ισπανία_
2. ___ Καναδάς	από	__________
3. ___ Παγκράτι	από	__________
4. ___ Βόλος	από	__________
5. ___ Αθήνα	από	__________
6. ___ Λίβανος	από	__________
7. ___ Παρίσι	από	__________
8. ___ Χάγη	από	__________

5 *Συμπληρώστε τα κενά*

	Ονομαστική		Αιτιατική		Ονομαστική		Αιτιατική
1.	η Γλυφάδα	σ	την Γλυφάδα	5.	___ Δάφνη	σ	___
2.	___ Ψυχικό	σ	___	6.	___ Κολωνάκι	σ	___
3.	___ Χολαργός	σ	___	7.	___ Ρέντης	σ	___
4.	___ Πειραιάς	σ	___	8.	___ Πέραμα	σ	___

6 *Βάλτε τα άρθρα στην ονομαστική ή στην αιτιατική, ανάλογα*

1. Η Τασία είναι από την Θεσσαλονίκη.
2. _____ Βαρσοβία είναι σ _____ Πολωνία.
3. _____ παιδί είναι από _____ Καναδά.
4. _____ Κολωνός είναι σ _____ Αθήνα.
5. _____ Φαρούκ είναι από _____ Τουρκία.
6. _____ Παρίσι είναι σ _____ Γαλλία.
7. _____ κύριος Ο' Κόννορ είναι από _____ Ιρλανδία.
8. _____ Μιλάνο είναι σ _____ Ιταλία.
9. _____ Μιχάλης είναι από _____ Κρήτη.

7 *Κλίνετε τα ρήματα "μένω" και "δουλεύω"*

Ενικός	Πληθυντικός
μένω	___
___	___
___	___

Ενικός	Πληθυντικός
δουλεύω	___
___	___
___	___

8 *Βάλτε το σωστό*

η Μαίρη - εγώ - αυτοί - αυτός - εσύ - η κυρία κι εγώ - ο Κώστας και αυτή - εσείς - εμείς

1. η Μαίρη μένει
2. ___ μένουμε
3. ___ μένουν
4. ___ μένετε
5. ___ μένω
6. ___ μένουμε
7. ___ μένεις
8. ___ μένει
9. ___ μένουν

9 *Βάλτε το ρήμα "έχω" στον σωστό τύπο*

1. εσύ *έχεις*
2. εμείς ____________
3. ο κύριος Κοσμάς ____________
4. η Ιωάννα κι εγώ ____________
5. εσείς ____________
6. εγώ ____________
7. αυτά ____________
8. ο Γιάννης κι εσύ ____________
9. κύριε Κανάκη ____________
10. ο Γιώργος και η Ασπασία ____________

10 *Γράψτε τις σωστές αντωνυμίες*

1. *αυτός/αυτή/αυτό* μένει
2. ____________ έχουμε
3. ____________ δουλεύεις
4. ____________ έχετε
5. ____________ έχω
6. ____________ μένεις
7. ____________ έχει
8. ____________ δουλεύω
9. ____________ έχουν
10. ____________ μένετε
11. ____________ δουλεύετε
12. ____________ μένουν

11 *Γράψτε τους αριθμούς*

1. δώδεκα *12*
2. είκοσι ______
3. δεκαεφτά ______
4. ενενήντα οχτώ ______
5. τριάντα δύο ______
6. πενήντα ______
7. εβδομήντα εννιά ______
8. σαράντα ένα ______
9. εκατό ______
10. ογδόντα τρία ______
11. εξήντα πέντε ______
12. δεκατέσσερα ______

12 *Απαντήστε*

1. Πού μένετε; ________________________________
2. Πού είναι η Αθήνα; ________________________________
3. Δουλεύετε τώρα; ________________________________
4. Το Παρίσι είναι στην Κίνα; ________________________________
5. Είστε από την Αυστραλία; ________________________________

13 *Βάλτε κεφαλαία και σημεία στίξεως*

- γεια σας κυρία δημαρά τι κάνετε — Γεια σας, κυρία Δημαρά.
- πολύ καλά ευχαριστώ εσείς ____________________
- είμαι καλά ευχαριστώ ____________________
- αλήθεια πού μένετε ____________________
- μένουμε στον βύρωνα εσείς ____________________
- εμείς μένουμε στο παγκράτι ____________________

14 *Ποιο είναι το σωστό;*

1. Πού μένετε; __α__
   (α) Μένουμε στον Πειραιά. (β) Όχι, μένω στην Πάτρα. (γ) Από τον Χολαργό.
2. Είστε από την Κοσταρίκα; _____
   (α) Όχι, δεν είναι. (β) Ναι, είμαι. Εσείς; (γ) Ναι, είμαι καλά.
3. Πού δουλεύετε; _____
   (α) Μένω στο Κολωνάκι. (β) Από το Τόκιο. (γ) Δεν δουλεύω.
4. Η Μόσχα είναι στην Ρωσία; _____
   (α) Όχι, δεν είμαι. (β) Ναι, είναι. (γ) Ναι, είσαι.

15 *Γράψτε τα αντίστοιχα στη γλώσσα σας*

1. πού μένετε;
2. έντεκα
3. η Μαδρίτη
4. στο Βουκουρέστι
5. είκοσι εφτά
6. μένω στην Αθήνα
7. δουλεύει στην Αμερική
8. πενήντα εννιά
9. ένα χιλιόμετρο

1 *Αντιγράψτε τις λέξεις*

1. πώς πώς
2. λέγεστε ______
3. διακόσια ______
4. ακριβώς ______
5. εξακόσια ______
6. τηλέφωνο ______
7. παρακαλώ ______
8. εντάξει ______
9. εφτά ______
10. μάλιστα ______
11. ελεύθερος ______
12. λεπτό ______

2 *Γράψτε τις παραπάνω λέξεις με κεφαλαία γράμματα*

1. ΠΩΣ
2. ______
3. ______
4. ______
5. ______
6. ______
7. ______
8. ______
9. ______
10. ______
11. ______
12. ______

3 *Γράψτε αυτές τις λέξεις με πεζά γράμματα*

1. ΕΧΩ έχω
2. ΠΑΙΔΙ ______
3. ΧΑΛΑΝΔΡΙ Χ
4. ΜΕΝΕΤΕ ______
5. ΠΑΝΤΡΕΜΕΝΟΣ ______
6. ΤΡΙΑΚΟΣΙΑ ______
7. ΠΕΙΡΑΙΑΣ Π
8. ΕΠΙΣΗΣ ______
9. ΧΙΛΙΑ ______
10. ΦΑΛΗΡΟ Φ
11. ΧΩΡΙΣΜΕΝΗ ______
12. ΓΡΑΜΜΑΤΙΚΗ ______

4 *Γράψτε τους αριθμούς*

1. εκατόν τριάντα 130
2. πεντακόσια εξήντα ______
3. οχτακόσια είκοσι οχτώ ______
4. εκατόν ογδόντα δύο ______
5. τριακόσια εβδομήντα τέσσερα ______
6. τετρακόσια σαράντα τέσσερα ______
7. εκατόν εφτά ______
8. εννιακόσια πενήντα τρία ______
9. διακόσια ενενήντα έξι ______
10. οχτακόσια ογδόντα οχτώ ______

5 *Γράψτε το γράμμα που λείπει*

1. ακ ρ ιβώς
2. ε __ ακόσια
3. λέγ __ στε
4. τηλέ φ __ νο
5. ελε __ θερη
6. __ ίλι α
7. πλατ __ ία
8. __ δός
9. παν __ ρεμένος
10. μ __ ς
11. αντ __ ο
12. εν __ ιακόσια

6 *Βάλτε τα κομμάτια στη σειρά και φτιάξτε έναν διάλογο*

Γεια σας. Πώς λέγεστε, παρακαλώ;

Και πού μένετε;

Νηρέως 17.

Γεια σας.

Είμαι από τη Γερμανία, από το Αννόβερο.

Όχι, είμαι ελεύθερη.

Τηλέφωνο έχετε;

Πού ακριβώς στο Παλιό Φάληρο;

Παρακαλώ. Αντίο σας.

Είστε παντρεμένη;

Ναι. Το τηλέφωνό μου είναι 9844730.

Στο Παλιό Φάληρο.

Εντάξει, δεσποινίς Μπάουερ. Ευχαριστώ.

Μπάουερ. Άστριντ Μπάουερ.

Από πού είστε;

Άστριντ Γεια σας.
Γραμματέας ______
Άστριντ ______
Γραμματέας ______
Άστριντ ______
Γραμματέας ______
Άστριντ ______
Γραμματέας ______
Άστριντ ______
Γραμματέας ______
Άστριντ ______
Γραμματέας ______
Άστριντ ______
Γραμματέας ______
Άστριντ ______

7 *Χρησιμοποιήστε το ανάλογο κτητικό και απαντήστε*

1. Πού μένει το παιδί της; Το παιδί της μένει στο Κολωνάκι.
2. Πού μένει η καθηγήτριά σας; ______
3. Από πού είναι ο γιατρός σας; ______
4. Η γυναίκα σας δουλεύει στο Ηράκλειο; Όχι, η ______
5. Από πού είναι ο δικηγόρος του; ______
6. Τι δουλειά κάνει ο πατέρας της; ______
7. Ο καθηγητής σου είναι από την Θεσσαλονίκη; Όχι, ο ______

8 *Απαντήστε*

1. Πώς λέγεστε; ______
2. Πού μένετε ακριβώς; ______
3. Είστε παντρεμένος/η; ______
4. Έχετε τηλέφωνο; ______
5. Λέγομαι Γιάννης Πετρίδης. ______
6. Είστε δημοσιογράφος; ______

9 *Σωστό (Σ) ή Λάθος (Λ);*

1. "Πού μένετε ακριβώς;" "Μένετε Σαρανταπόρου 76." [Λ]
2. "Έχει τηλέφωνο;" "Ναι. Το τηλέφωνό της είναι 8000557. " [ ]
3. "Είστε παντρεμένη;" "Όχι, είμαι ελεύθερη." [ ]
4. "Ευχαριστώ, κύριε." "Όχι." [ ]
5. "Τι δουλειά κάνετε;" "Είμαι καλά." [ ]
6. "Είστε από το Ιράν;" "Ναι, είμαι." [ ]
7. "Γεια σας. Λέγομαι Αλέκος Παπαδάκης." "Εγώ δεν είμαι." [ ]
8. "Πού μένει η γυναίκα σας;" "Στην Ελλάδα." [ ]
9. "Έχετε τηλέφωνο;" "Όχι, έχω." [ ]

10 *Γράψτε τα αντίστοιχα στη γλώσσα σας*

1. πώς λέγεστε;
2. ακριβώς
3. έχετε τηλέφωνο;
4. χωρισμένος
5. η οδός
6. παντρεμένη
7. εξακόσια εξήντα
8. "Ευχαριστώ." "Παρακαλώ."
9. το τηλέφωνό μου είναι 87....
10. τετρακόσια τριάντα δύο

1 *Αντιγράψτε τις φράσεις*

1. Πώς σε λένε; Πώς σε λένε;
2. Μιλάς ελληνικά; ______
4. Δεν μιλάω καλά αγγλικά. ______
5. Έχουμε δύο παιδιά. ______
6. Ο άντρας μου είναι από τη Ρωσία. ______

2 *Κλίνετε το ρήμα "μιλάω"*

εγώ	μιλάω
εσύ	
αυτός / αυτή / αυτό	
εμείς	
εσείς	
αυτοί / αυτές / αυτά	

3 *Βάλτε το σωστό*

εμείς - αυτά - εγώ - ~~αυτή~~ - εσύ - ο Γιώργος - εσύ κι εγώ - εσείς - αυτοί

1. αυτή μιλάει
2. ______ μιλάμε
3. ______ μιλάνε
4. ______ μιλάτε
5. ______ μιλάει
6. ______ μιλάω
7. ______ μιλάνε
8. ______ μιλάς
9. ______ μιλάμε

4 *Βάλτε τονικό σημάδι (΄) όπου χρειάζεται*

1. μ ε ν ο υ ν
2. π α ι δ ι α
3. ε ι μ α σ τ ε
4. π ε ν τ α κ ο σ ι α
5. ν α ι
6. ε λ λ η ν ι κ α
7. ε υ χ α ρ ι σ τ ω
8. Π α ρ ι σ ι
9. ε λ ε υ θ ε ρ η
10. γ ι ο ς
11. ε χ ε ι ς
12. μ η τ ε ρ α

5 *Γράψτε την σωστή γλώσσα*

1. Είναι από την Γαλλία. Μιλάει ___γαλλικά___ .
2. Είναι από την Γερμανία. Μιλάει ______________ .
3. Είναι από την Ελλάδα. Μιλάει ______________ .
4. Είναι από την Αίγυπτο. Μιλάει ______________ .
5. Είναι από την Ιαπωνία. Μιλάει ______________ .
6. Είναι από την Ισπανία. Μιλάει ______________ .
7. Είναι από την Κίνα. Μιλάει ______________ .
8. Είναι από την Σουηδία. Μιλάει ______________ .
9. Είναι από την Αγγλία. Μιλάει ______________ .

6 *Συμπληρώστε τις απαντήσεις*

1. Ο Κώστας μιλάει αγγλικά; Ναι, ___μιλάει αγγλικά___ .
2. Μιλάς γαλλικά; Όχι, ______________ .
3. Τα παιδιά μιλάνε ισπανικά; Ναι, ______________ .
4. Εσείς, παιδιά, μιλάτε κινέζικα; Όχι, ______________ .
5. Η αδελφή σου μιλάει γερμανικά; Ναι, ______________ .
6. Ο πατέρας σου και η μητέρα σου μιλάνε ελληνικά; Όχι, ______________ .

7 *Γράψτε το αρσενικό ή το θηλυκό, ανάλογα*

Αρσενικό	Θηλυκό	Αρσενικό	Θηλυκό
1. φοιτητής	___φοιτήτρια___	5. ελεύθερος	______________
2. ______________	παντρεμένη	6. ______________	αδελφή
3. νοσοκόμος	______________	7. γραμματέας	______________
4. ______________	καθηγήτρια	8. ______________	γιατρός

8 *Εσύ ή εσείς;*

1. *Εσύ* / *Εσείς* μένετε στο Παρίσι;
2. *Εσύ* / *Εσείς* είσαι από την Αθήνα;
3. *Εσύ* / *Εσείς* δουλεύεις στο Βερολίνο;
4. *Εσύ* / *Εσείς* μιλάτε ολλανδικά;
5. *Εσύ* / *Εσείς* είστε δικηγόρος;
6. *Εσύ* / *Εσείς* μιλάς γιαπωνέζικα;
7. *Εσύ* / *Εσείς* έχετε τηλέφωνο;
8. *Εσύ* / *Εσείς* μένεις στην Κυψέλη;
9. *Εσύ* / *Εσείς* δουλεύετε τώρα στην Ελλάδα;

9 *Γράψτε το σωστό*

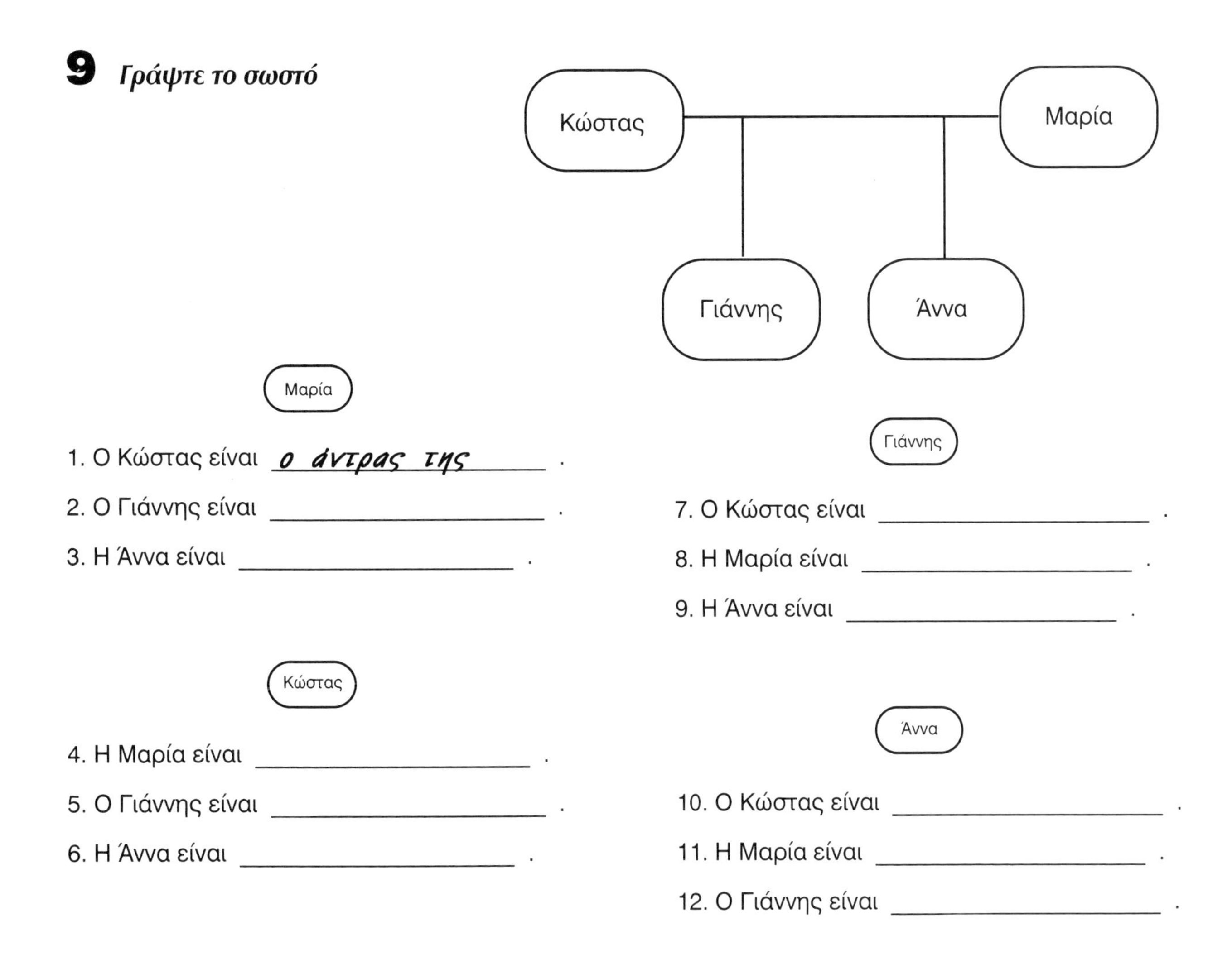

Μαρία

1. Ο Κώστας είναι *ο άντρας της* .
2. Ο Γιάννης είναι ______________ .
3. Η Άννα είναι ______________ .

Κώστας

4. Η Μαρία είναι ______________ .
5. Ο Γιάννης είναι ______________ .
6. Η Άννα είναι ______________ .

Γιάννης

7. Ο Κώστας είναι ______________ .
8. Η Μαρία είναι ______________ .
9. Η Άννα είναι ______________ .

Άννα

10. Ο Κώστας είναι ______________ .
11. Η Μαρία είναι ______________ .
12. Ο Γιάννης είναι ______________ .

10 *Απαντήστε*

1. Πώς σε λένε; ____________________
2. Πού μένεις; ____________________ .
3. Τι δουλειά κάνεις; ____________________ .
4. Έχεις τηλέφωνο; ____________________ .
5. Μιλάς ελληνικά; ____________________ .
6. Είσαι παντρεμένος/η; ____________________ .
7. Έχεις παιδιά; ____________________ .

11 *Απαντήστε στην γραμματέα*

Γραμματέας ... Και πώς σε λένε;
Εσύ *Με λένε* ____________________ .
Γραμματέας Είσαι από την Γαλλία;
Εσύ ____________________ .
Γραμματέας Ωραία. Και πού μένεις τώρα;
Εσύ ____________________ .
Γραμματέας Πού ακριβώς;
Εσύ ____________________ .
Γραμματέας Έχεις τηλέφωνο;
Εσύ ____________________ .
Γραμματέας Εντάξει, ευχαριστώ.
Εσύ ____________________ .

12 *Γράψτε τα αντίστοιχα στη γλώσσα σας*

1. πώς σε λένε;
2. μιλάς ελληνικά;
3. είσαι ελεύθερος;
4. έχεις παιδιά;
5. ένα αγόρι και δύο κορίτσια
6 ο αδερφός σου
7. η γυναίκα του
8. βεβαίως

Μάθημα 7 (Μάθημα Έβδομο)

1 *Αντιγράψτε τον διάλογο*

Πελάτης Καλησπέρα.
Πωλητής Καλησπέρα σας.
Πελάτης Θα ήθελα ένα κασετόφωνο.
Πωλητής Μάλιστα. Αυτό σας αρέσει;
Πελάτης Καλό είναι. Πόσο κάνει;
Πωλητής Κάνει είκοσι έξι χιλιάδες.
Πελάτης Εντάξει. Ορίστε τριάντα.
Πωλητής Τα ρέστα σας, τέσσερις χιλιάδες, και η απόδειξή σας.
Πελάτης Ευχαριστώ. Αντίο σας.

Πελάτης ______________________________

____

____

____

____

____

____

____

____

2 *Διαλέξτε το σωστό άρθρο*

1. ο / η / <u>το</u> τραπέζι
2. ο / η / το βιβλιοθήκη
3. ο / η / το βιβλίο
4. ο / η / το αναπτήρας
5. ο / η / το ρολόι
6. ο / η / το δίσκος
7. ο / η / το αυτοκίνητο
8. ο / η / το εφημερίδα
9. ο / η / το όνομα
10. ο / η / το χαρτοφύλακας
11. ο / η / το ομπρέλα
12. ο / η / το μολύβι

3 *"ι" ή "η";*

1. το μολύβ*ι*
2. η βιβλιοθήκ ___
3. το Παρίσ___
4. η Ελέν___
5. η γραφομηχαν___
6. το ρολό___
7. η Ρώμ___
8. το κορίτσ___
9. το σπίτ___
10. η τηλεόρασ___
11. το Βουκουρέστ___
12. η αδελφ___

4 "ο" ή "ω"

1. βιβλί _ο_
2. εγ ___
3. μέν ___
4. παρακαλ ___
5. αυτ ___ ς
6. αυτ ___ κίνητ ___
7. δουλεύ ___
8. εκατ ___
9. παρακαλ ___
10. π ___ ς
11. δίσκ ___ ς
12. καταλαβαίν ___

5 *Διαλέξτε το σωστό*

1. Αυτός ο / Αυτή η / Αυτό το κασετόφωνο κάνει σαράντα χιλιάδες.
2. Αυτός ο / Αυτή η / Αυτό το τηλεόραση είναι από την Ιαπωνία.
3. Αυτός ο / Αυτή η / Αυτό το κύριος είναι μηχανικός.
4. Αυτός ο / Αυτή η / Αυτό το άγαλμα πόσο έχει;
5. Αυτός ο / Αυτή η / Αυτό το ομπρέλα δεν μ' αρέσει.
6. Αυτός ο / Αυτή η / Αυτό το δίσκος κάνει πέντε χιλιάδες.
7. Αυτός ο / Αυτή η / Αυτό το αγόρι είναι από την Κρήτη.
8. Αυτός ο / Αυτή η / Αυτό το κασέτα μ' αρέσει πολύ.
9. Αυτός ο / Αυτή η / Αυτό το κορίτσι δουλεύει στην οδό Μάρνη.

6 *Βάλτε την σωστή λέξη*

1. Αυτός ___ο___ αναπτήρας πόσο κάνει;
2. __________ το ρολόι είναι εξαιρετικό.
3. Από πού είναι __________ η δημοσιογράφος;
4. Σ' αρέσει αυτό __________ βιβλίο;
5. Αυτός __________ καθηγητής είναι πολύ καλός.
6. Πόσο έχει __________ η τηλεόραση;
7. Αυτό __________ άγαλμα σας αρέσει;
8. Αυτή __________ κυρία είναι η μητέρα μου.
9. Πού δουλεύει __________ ο μηχανικός;

7 *Συμπληρώστε τα κενά*

(α)

1. (1) μία ______ δραχμή/πεσέτα/λίρα.
2. (3) ______ δραχμές.
3. (4) ______ πεσέτες.
4. (23) ______ λίρες.
5. (34) ______ δραχμές.
6. (51) ______ πεσέτες.
7. (104) ______ λίρες.
8. (333) ______ δραχμές.
9. (504) ______ πεσέτες.
10. (601) ______ λίρες.
11. (1500) ______ δραχμές.

(β)

1. (1) ένα ______ μάρκο/δολλάριο/φράγκο.
2. (3) ______ φράγκα.
3. (4) ______ δολλάρια.
4. (23) ______ μάρκα.
5. (34) ______ φράγκα.
6. (51) ______ δολλάρια.
7. (104) ______ μάρκα.
8. (333) ______ φράγκα.
9. (504) ______ δολλάρια.
10. (601) ______ μάρκα.
11. (1500) ______ φράγκα.

8 *Γράψτε τους αριθμούς*

1. 854 οχτακόσια πενήντα τέσσερα
2. 1.300 ____________________
3. 4.640 ____________________
4. 770. 770 ____________________
5. 3.400.400 ____________________

9 *Συμπληρώστε τα κενά*

Πωλήτρια Καλησπέρα σας. Ορίστε, παρακαλώ.

Πελάτισσα Θα __________ μια ομπρέλα.

Πωλήτρια Βεβαίως. __________ σας αρέσει;

Πελάτισσα Αρκετά. Πόσο __________ ;

Πωλήτρια Έξι __________ πεντακόσιες.

Πελάτισσα Εντάξει.. Ορίστε εφτά χιλιάδες.

Πωλήτρια __________ τα ρέστα σας και ____ απόδειξή _____ .

Πελάτισσα Ευχαριστώ.

Πωλήτρια ______ ευχαριστώ. Αντίο σας.

10 *Γράψτε τα αντίστοιχα στη γλώσσα σας*

1. η εφημερίδα
2. το λεωφορείο
3. το αυτοκίνητο
4. ο δίσκος
5. το σπίτι
6. η καρέκλα
7. ο αναπτήρας
8. αυτός ο καθρέφτης
9. αυτή η ομπρέλα
10. αυτό το τραπέζι
11. συγνώμη
12. δραχμές
13. μ' αρέσει πολύ
14. σημαίνει

1 *Αντιγράψτε το κείμενο*

Ο Ζακ είναι Γάλλος. Είναι από το Στρασβούργο και δουλεύει στην Αθήνα. Η φίλη του, η Νατάσα, είναι Ρωσίδα, από τη Μόσχα, και είναι δημοσιογράφος. Κι αυτή δουλεύει στην Αθήνα. Μένουνε και οι δύο στον Νέο Κόσμο, κοντά στο κέντρο.

Ο Ζακ είναι Γάλλος. ___

2 *Ταιριάξτε ουσιαστικά με επίθετα*

	είναι	
1. Η ομπρέλα		α. ακριβός
2. Το σπίτι		β. ωραία
3. Ο Γιώργος		γ. ακριβό
4. Το κασετόφωνο		δ. ωραίος
5. Η Ελένη		ε. παλιό
6. Ο χαρτοφύλακας		ζ. παλιά

3 *Συμπληρώστε τα κενά*

1. Αυτή ___ ομπρέλα είναι ακριβ___ .
2. Αυτό ___ κασετόφωνο είναι παλι___ .
3. Αυτός ___ αναπτήρας είναι καλ___ .
4. Αυτό ___ σπίτι είναι καινούρι___ .
5. Αυτός ___ καθρέφτης είναι φτην___ .
6. Αυτή ___ ταβέρνα είναι μικρ___ .
7. Αυτό ___ όνομα είναι ωραί___ .
8. Αυτός ___ δίσκος είναι καινούρι___ .
9. Αυτή ___ ζώνη είναι φτην___ .
10. Αυτό ___ αυτοκίνητο είναι άσχημ___ .
11. Αυτό ___ ρολόι είναι μοντέρν___ .
12. Αυτή ___ πλατεία είναι μικρ___ .
13. Αυτός ___ αριθμός είναι μεγάλ___ .
14. Αυτό ___ άγαλμα είναι παλι___ .

4 *Γράψτε τα αντίθετα*

1. φτηνή ακριβή
2. ωραίος άσχημος
3. παλιά καινούργια
4. μικρό μεγάλο
5. καινούριο παλιό
6. μεγάλη μικρή
7. φτηνός ακριβός
8. άσχημη ωραία
9. ακριβό φτηνό
10. μεγάλος μικρος
11. παλιός καινούργιος
12. άσχημο ωραίο

5 *Βάλτε τη σωστή κατάληξη*

1. Η Γκρέτα είναι Ολλανδέζα .
2. Ο Καζουνάρι είναι Γιαπωνέζος .
3. Ο Κριστιάν είναι Βέλγος .
4. Η Λιζ είναι Αγγλίδα .
5. Ο Φραντς είναι Γερμανός .
6. Η Λιβ είναι Σουηδέζα .
7. Η Κάρμεν είναι Ισπανίδα .
8. Ο Κάρλο είναι Ιταλός .
9. Η Ασπασία είναι Ελληνίδα .
10. Ο Μπράιαν είναι Καναδός .
11. Η Τατιάνα είναι Ρωσίδα .
12. Ο Τσου είναι Κινέζος .
13. Η Πατ είναι Αμερικανίδα .
14. Ο Άλι είναι Αιγύπτιος .

6 *Γράψτε το αρσενικό ή το θηλυκό, ανάλογα*

1. Ελληνας Ελληνίδα
2. Κινέζος Κινέζα
3. Σουηδός Σουηδέζα
4. Γερμανός Γερμανίδα
5. Ισπανός Ισπανίδα
6. Βραζιλιάνος Βραζιλιάνα
7. Φινλανδός Φινλανδέζα
8. Αμερικανός Αμερικανίδα
9. Αιγυπτιος Αιγυπτία
10. Ελβετός Ελβετίδα
11. Πορτογαλός Πορτογαλέζα
12. Ινδός Ινδή

7 *Βάλτε στα κενά τα σωστά ρήματα*

~~είναι~~ - μιλάει - δουλεύει - είναι - μιλάνε - μένει - έχουν - δουλεύει - είναι

Ο Φίλιπ __είναι__ Άγγλος και τώρα __μένει__ στην Θεσσαλονίκη. __Είναι__ παντρεμένος με την Σοφία. __Έχουν__ δύο παιδιά, την Ελισάβετ και τον Πέτρο. Ο Φίλιπ είναι δημοσιογράφος και τώρα __δουλεύει__ σε μια καινούρια εφημερίδα. Η Σοφία __είναι__ Ελληνίδα και __δουλεύει__ σε ένα σχολείο. Ο Φίλιπ δεν __μιλάει__ καλά ελληνικά. Τα παιδιά όμως __μιλάνε__ πολύ καλά.

8 *Βάλτε τις λέξεις στη σωστή σειρά και φτιάξτε προτάσεις*

1. δεν / Γιάννης / ωραίος / είναι / ο / καθόλου / καλός / καθηγητής / αλλά / είναι

   Ο Γιάννης δεν ________________________________

2. Γερμανίδα / μια / δουλεύει / με / Ελένη / η / γιατρό

   ____

3. είναι / αυτή / ποια / στο / γυναίκα / η / μπαρ / δίπλα / ωραία ;

   ____

4. το / είναι / ακριβό / αυτό / λίγο / ρολόι / είναι / καλό / αλλά

   ____

9 *Γράψτε τη σωστή ερώτηση*

1. *Ποιος είναι αυτός* ; Είναι ο καθηγητής μας.
2. ________________ ; Είναι η δεσποινίς Μελίστα.
3. ________________ ; Είναι ο Λάμπρος Πετράκης.
4. ________________ ; Είναι η μητέρα μου.
5. ________________ ; Είναι ο κύριος Καψάσκης.
6. ________________ ; Είναι η Τόνια Καράλη.

10 *Γράψτε προτάσεις*

1. κυρία / Μασκάνι / Ιταλ... / Ιταλ...

Η κυρία Μασκάνι είναι Ιταλίδα αλλά δεν δουλεύει στην Ιταλία.

2. κύριος / Μάρκες / Μεξικ... / Μεξικ...

___

3. κυρία / Νικολαΐδη / Ελλην... / Ελλ...

___

4. κύριος / Βάλτερ / Γερμαν... / Γερμαν...

___

5. κυρία / Κριστόβνα / Βουλγάρ... / Βουλγαρ...

___

11 *Γράψτε τα αντίστοιχα στη γλώσσα σας*

1. ωραίος
2. ποιος είναι αυτός;
3. ποια είναι αυτή;
4. φτηνή
5. Γιαπωνέζα
6. παλιό
7. μεγάλη
8. Έλληνας
9. το κρασί
10. Άγγλος
11. τραπεζικός
12. Αυστραλέζα
13. η μπίρα
14. το νοσοκομείο
15. ευχαριστημένος
16. Γάλλος

Μάθημα 9 (Μάθημα Ένατο)

1 *Βάλτε τονικό σημάδι (΄) όπου χρειάζεται*

1. α κ ρ ι β η	4. Ι σ π α ν ι δ α	7. α σ χ η μ η	10. ε υ χ α ρ ι σ τ η μ ε ν η
2. λ ε π τ ο	5. μ ε γ α λ ο	8. Ε λ λ η ν α ς	11. μ ι κ ρ ο ς
3. ω ρ α ι ο ς	6. Α υ σ τ ρ α λ ε ζ α	9. α υ τ ο ς	12. Γ ε ρ μ α ν ο ς

2 *Κλίνετε τα ρήματα "κάνω", "μιλάω", "πάω", "έρχομαι"*

κάνω	μιλάω	πάω	έρχομαι

3 *Διαλέξτε το σωστό*

εγώ - εμείς - αυτές - εγώ - η Μαρία - ~~εσύ~~ - εμείς - ο Γιάννης - τα παιδιά - εσύ κι εγώ - εσείς - εσύ

1. *εσύ*	μιλάς	5. ______	λέτε	9. ______	ερχόμαστε
2. ______	αγαπάω	6. ______	τρώμε	10. ______	ρωτάνε
3. ______	έρχεται	7. ______	βρίσκονται	11. ______	ενδιαφέρομαι
4. ______	πάει	8. ______	πάμε	12. ______	λες

4 *Βάλτε τα ρήματα στον σωστό τύπο*

1. εγώ ___μιλάω___ (μιλάω)
2. αυτοί ______________ (έρχομαι)
3. εσείς ______________ (τρώω)
4. εσύ ______________ (λέω)
5. αυτές ______________ (μιλάω)
6. εμείς ______________ (έρχομαι)
7. εσύ ______________ (πάω)
8. αυτό ______________ (βρίσκομαι)
9. εσείς ______________ (ρωτάω)
10. αυτός ______________ (ενδιαφέρομαι)

5 *Βάλτε τα ρήματα στον σωστό τύπο*

1. Εσύ δεν ___μιλάς___ καθόλου ελληνικά; (μιλάω)
2. Πού ________________ η Μακεδονία; (βρίσκομαι)
3. Η Ελένη ________________ τον Μιχάλη. (αγαπάω)
4. Εσείς από πού ________________ τώρα; (έρχομαι)
5. Τα παιδιά μας ________________ καλά. (τρώω)
6. Η γυναίκα μου κι εγώ δεν ________________ σινεμά. (πάω)
7. Ο Πάολο ________________ στο σχολείο για την καθηγήτρια! (έρχομαι)
8. Εσείς ________________ αγγλικά ή γαλλικά; (μιλάω)
9. Εσύ ________________ γι' αυτό το σπίτι; (ενδιαφέρομαι)

6 *Βάλτε τα ουσιαστικά στην αιτιατική*

Ονομαστική	Αιτιατική	Ονομαστική	Αιτιατική
1. ο φίλος	τον φίλο	7. το σπίτι	
2. η τηλεόραση		8. ο πελάτης	
3. το βιβλίο		9. η εφημερίδα	
4. ο αναπτήρας		10. ο δίσκος	
5. το μάθημα		11. το βάζο	
6. η ομπρέλα		12. το ρήμα	

7 *Βάλτε τα ουσιαστικά στην ονομαστική ή στην αιτιατική, ανάλογα*

1. Αυτό το παιδί ______ είναι από την Ταϋλάνδη. (αυτό το παιδί)
2. Η Μαίρη μιλάει με ______ της. (η μητέρα)
3. ______ μένει στον Νέο Κόσμο. (η κυρία Ελένη)
4. Η Ζωή αγαπάει ______ . (ο Κώστας)
5. ______ μιλάει πολύ καλά ελληνικά. (αυτός ο κύριος)
6. Ο πατέρας σου θέλει ______ . (αυτή η νοσοκόμα)
7. ______ δουλεύει στη Θεσσαλονίκη τώρα. (ο Αλέξανδρος)
8. Ξέρεις ποιος ενδιαφέρεται για ______ σου; (το αυτοκίνητο)
9. ______ θέλει ένα ποτήρι κρασί. (το κορίτσι μας)
10. Θέλω ______ , παρακαλώ. (ο διευθυντής)

8 *Βάλτε τα ουσιαστικά και τα επίθετα στην αιτιατική*

Αρσενικά

1. ο καλός δικηγόρος — τον καλό δικηγόρο; ο παλιός πελάτης — ______; ο καλός πατέρας — ______
2. ο ακριβός δίσκος — ______; ο ωραίος καθρέφτης — ______; ο ακριβός πίνακας — ______

Θηλυκά

3. η καλή κόρη — ______; η φτηνή ομπρέλα — ______
4. η ωραία βιβλιοθήκη — ______; η καινούρια νοσοκόμα — ______

Ουδέτερα

5. το καλό βιβλίο — ______; το καλό παιδί — ______; το καινούριο μάθημα — ______
6. το καινούριο γραφείο — ______; το παλιό ρολόι — ______; το ωραίο όνομα — ______

9 *Βάλτε τα ουσιαστικά και τα επίθετα στην ονομαστική ή την αιτιατική, ανάλογα*

1. Η Μαίρη δεν θέλει _την παλιά τηλεόραση_ . (η παλιά τηλεόραση)
2. Μ' αρέσει πολύ ______________________ . (το καινούριο βιβλίο)
3. ______________________ είναι ερωτευμένη με τον Πάνο. (η καινούρια γραμματέας)
4. Ξέρετε ______________________ ; (ο Ολλανδός δικηγόρος)
5. Ποιος είναι αυτός ______________________ ; (ο ωραίος κύριος)
6. Δεν θέλω ______________________ . (το μικρό τασάκι)
7. Εμείς έχουμε ______________________ . (η ακριβή βιβλιοθήκη)
8. ______________________ δουλεύει πολύ. (ο καινούριος γιατρός)
9. Αυτή η κασέτα είναι για ______________________ . (το μεγάλο κασετόφωνο)

10 *Βάλτε "πώς", "πόσο", "ποιος" ή "πού", ανάλογα*

1. Συγνώμη, _πώς_ λέγεστε, παρακαλώ;
2. _______ είναι αυτός δίπλα στον Αλέξανδρο;
3. Από _______ είσαι Φρανκ;
4. _______ είναι η καθηγήτριά σας; Αυτή εκεί;
5. Αλήθεια, _______ κάνει το αυτοκίνητό σου;
6. _______ την λένε; Την λένε Άννα.
7. Ξέρεις _______ μένει η κυρία Φιλίππου;
8. _______ κάνει αυτό το βάζο, σε παρακαλώ;
9. Γεια σου, Γιώργο. _______ πάει;

11 *Γράψτε τις ηλικίες*

1. Ο Λάμπρος είναι _είκοσι τριών_ χρονών. (23)
2. Η καθηγήτριά μας είναι ______________________ χρονών. (41)
3. Το αυτοκίνητό μας είναι ______________________ χρονών. (4)
4. Αυτός ο κύριος είναι ______________________ χρονών. (77)
5. Το σπίτι τους είναι αρκετά παλιό. Είναι ______________________ χρονών. (54)
6. Η γραφομηχανή μου είναι ______________________ χρονών. Και δουλεύει! (35)
7. Το παιδί τους είναι ______________________ μηνών. (13)

1 *Ορθογραφία*

Ο Πάν_ο_ς είναι από τ___ν Κρήτη και ζ___ στη Θεσσαλονίκ___ .
Είναι ηλεκτρολόγ___ς. Είναι παντρεμέν___ς με την Ελέν___ και μένουνε στην οδό Μητροπόλεως, κοντά στο κέντρ___. Η Ελέν___ δουλεύ___ στο νοσοκομεί___ "ΑΧΕΠΑ". Κι εγ___ είμαι από την Κρήτ___ αλλά δουλεύ___ στ___ν Αθήνα.
Με λένε Γιώργο, είμ___ ελεύθερ___ και μέν___ στ___ Περιστέρι.

2 *Γράψτε τι ώρα είναι (με βάση το δωδεκάωρο)*

1. Η ώρα είναι _έντεκα και μισή_ . (11.30)
2. Η ώρα είναι ______________ . (2.45)
3. Η ώρα είναι ______________ . (12.20)
4. Η ώρα είναι ______________ . (6.10)
5. Η ώρα είναι ______________ . (1.15)
6. Η ώρα είναι ______________ . (9.50)
7. Η ώρα είναι ______________ . (8.25)
8. Η ώρα είναι ______________ . (3.35)
9. Η ώρα είναι ______________ . (5.30)

3 *Κλίνετε τα ρήματα "οδηγώ" και "θυμάμαι"*

οδηγώ	θυμάμαι

4 *Διαλέξτε το σωστό*

εγώ - εμείς - αυτές - εγώ - η Άννα - ~~εσύ~~ - αυτοί - ο Χάρης - τα παιδιά - εσύ κι εγώ - εσείς - εσύ

1. ___εσύ___ οδηγείς
2. __________ μπορώ
3. __________ κοιμάται
4. __________ αργεί
5. __________ θυμάστε
6. __________ λυπούνται
7. __________ ζούνε
8. __________ μπορούμε
9. __________ κοιμόμαστε
10. __________ αργούν
11. __________ θυμάμαι
12. __________ μπορείς

5 *Βάλτε τα ρήματα στον σωστό τύπο*

1. εγώ ___μπορώ___ (μπορώ)
2. αυτοί __________ (κοιμάμαι)
3. εσείς __________ (ζω)
4. εσύ __________ (θυμάμαι)
5. αυτές __________ (οδηγώ)
6. εμείς __________ (κοιμάμαι)
7. εσύ __________ (αργώ)
8. αυτό __________ (λυπάμαι)
9. εσείς __________ (θυμάμαι)
10. αυτός __________ (τηλεφωνώ)

6 *Βάλτε τα ρήματα στον σωστό τύπο*

1. Εσύ δεν ___οδηγείς___ το αυτοκίνητό σας ποτέ; (οδηγώ)
2. Πού __________ ο αδελφός σου; (κοιμάμαι)
3. Εσείς δεν __________ πού είναι το σπίτι; (θυμάμαι)
4. Η μητέρα της __________ στην Ιαπωνία. (ζω)
5. Τα παιδιά μας πάντα __________ το πρωί. (αργώ)
6. Καλά, δεν __________ πού είναι η γυναίκα σου; (θυμάμαι)
7. Δεν __________ τώρα. Έχει δουλειά. (μπορώ)
8. Ο Παύλος και η Ζέτα __________ μαζί; (ζω)
9. Αλήθεια, αυτός δεν __________ καθόλου γι' αυτό; (λυπάμαι)

Θυμάστε;

Το μάθημα είναι	**την** Δευτέρα / **την** Τρίτη κτλ. **το** πρωί / **το** μεσημέρι κτλ. από **τις** εννιά ώς **τις** δώδεκα αλλά **στις** οχτώ, **στις** εννιά, (**στη** μία) κτλ.

7 *Γράψτε στα κενά το σωστό*

1. Ο αδερφός μου έρχεται *στις εννιά και δέκα το πρωί*. (9.10, πρωί)
2. ______________ συνήθως κοιμόμαστε ώς ______________. (Κυριακή / 11.00)
3. Έχουμε μάθημα ______________. (Πέμπτη, 6.00, απόγευμα)
4. Η πτήση για Αθήνα φεύγει ______________. (4.20, πρωί)
5. Το ραντεβού είναι ______________. (1.30, μεσημέρι)
6. Η Μαίρη πάει σχολείο ______________. (Δευτέρα, βράδυ)
7. Δουλεύω από ______________ ώς ______________.
   (9.00, πρωί / 5.00, απόγευμα)

8 *Βρέστε το σωστό*

1. Το κατάστημα *ανοίγει* / *είναι ανοιχτό* στις 8.30 π.μ. και *κλείνει* / *είναι κλειστό* στις 3.00 μ.μ.
2. Η τράπεζα *ανοίγει* / *είναι ανοιχτή* από τις 8.00 π.μ. ώς τις 2.00 μ.μ.
3. Το σχολείο *κλείνει* / *είναι κλειστό* σήμερα από το πρωί ώς το βράδυ.
4. Η ταινία αρχίζει *από τις* / *στις* 8 μ.μ. και τελειώνει *από τις* / *στις* 9.45 μ.μ.
5. Το θέατρο *είναι ανοιχτό* / *ανοίγει* από την Τρίτη ώς την Κυριακή.

9 *Γράψτε ερωτήσεις*

1. *Τι μέρα είναι σήμερα*; Σήμερα είναι Τρίτη.
2. ______________; Είναι ο κύριος Φιλιππίδης.
3. ______________; Ανοίγει στις 8 το βράδυ.
4. ______________; Στις έξι το πρωί. Πίνω έναν καφέ και φεύγω.
5. ______________; Είναι πέντε και μισή ακριβώς, κύριε.
6. ______________; Στις 11 το πρωί, στο σχολείο.
7. ______________; Ναι, το πρωί τρώω καλά.
8. ______________; Όχι, δεν μ' αρέσει καθόλου.

10 *Απαντήστε στις ερωτήσεις*

1. Συνήθως τι ώρα ξυπνάς το πρωί; ____________________
2. Πας συχνά στο σινεμά; ____________________
3. Πού τρως το βράδυ; ____________________
4. Το βράδυ κοιμάσαι ποτέ πριν από τις 10; ____________________
5. Το μεσημέρι τρώς νωρίς ή αργά; ____________________

11 *Κοιτάξτε το πρόγραμμα του Χάρη και συμπληρώστε τα κενά. Χρησιμοποιήστε "πάντα", "συνήθως", "συχνά", "καμιά φορά", "σπάνια", "ποτέ"*

ΔΕΥ	ΤΡΙ	ΤΕΤ	ΠΕΜ	ΠΑΡ	ΣΑΒ	ΚΥΡ
ΔΕΥ βρ/τέννις	ΤΡΙ βρ/σπίτι	ΤΕΤ βρ/μπάσκετ	ΠΕΜ βρ/σπίτι	ΠΑΡ βρ/ταβέρνα	ΣΑΒ πρ/τέννις	ΚΥΡ τηλ/μητέρα
ΔΕΥ βρ/σπίτι	ΤΡΙ βρ/ταβέρνα	ΤΕΤ βρ/μπάσκετ	ΠΕΜ βρ/σπίτι	ΠΑΡ βρ/σινεμά	ΣΑΒ πρ/δουλειά	ΚΥΡ τηλ/μητέρα
ΔΕΥ βρ/τέννις	ΤΡΙ βρ/σπίτι	ΤΕΤ βρ/μπάσκετ	ΠΕΜ βρ/ταβέρνα	ΠΑΡ βρ/σπίτι	ΣΑΒ πρ/τέννις	ΚΥΡ τηλ/μητέρα
ΔΕΥ βρ/τέννις	ΤΡΙ βρ/σπίτι	ΤΕΤ βρ/μπάσκετ	ΠΕΜ βρ/σπίτι	ΠΑΡ βρ/σινεμά	ΣΑΒ πρ/τέννις	ΚΥΡ τηλ/μητέρα
ΔΕΥ βρ/τέννις	ΤΡΙ βρ/σπίτι	ΤΕΤ βρ/μπάσκετ	ΠΕΜ βρ/σπίτι	ΠΑΡ βρ/σινεμά	ΣΑΒ πρ/δουλειά	ΚΥΡ τηλ/μητέρα
ΔΕΥ βρ/τέννις	ΤΡΙ βρ/σπίτι	ΤΕΤ βρ/μπάσκετ	ΠΕΜ βρ/ταβέρνα	ΠΑΡ βρ/ντίσκο	ΣΑΒ πρ/τέννις	ΚΥΡ τηλ/μητέρα

1. ___*Την*___ Δευτέρα το βράδυ ___*συνήθως*___ παίζει τέννις.
2. __________ Τρίτη το βράδυ μένει __________ στο σπίτι.
3. __________ Τετάρτη το βράδυ __________ παίζει μπάσκετ.
4. __________ Πέμπτη το βράδυ δεν πάει __________ στην ντίσκο.
5. __________ Πέμπτη το βράδυ __________ πάει στην ταβέρνα.
6. __________ Παρασκευή το βράδυ πάει __________ στο σινεμά.
7. __________ Παρασκευή το βράδυ __________ μένει στο σπίτι.
8. __________ δουλεύει και __________ Σάββατο το πρωί.
9. __________ Κυριακή __________ τηλεφωνεί στη μητέρα του.

12 *Γράψτε τα αντίθετα*

1. πρωί ___*βράδυ*___
2. πάντα __________
3. πάω __________
4. αρχίζω __________
5. ξυπνάω __________
6. καμιά φορά __________
7. κλείνω __________
8. φτάνω __________
9. ανοιχτό __________

Μάθημα 11 (Μάθημα Ενδέκατο)

1 *Βάλτε τονικό σημάδι (΄) όπου χρειάζεται*

Η Ελενη ειναι Ελληνιδα και ζει στη Θεσσαλονικη.
Ειναι γραμματεας σ' ενα σχολειο. Το πρωι ξυπναει στις εφτα.
Πινει εναν καφε και φευγει. Δουλευει καθε μερα απο τις οχτω
ως τις δυο. Το Σαββατο δεν δουλευει.

2 *Γράψτε το οριστικό και το αόριστο άρθρο στην ονομαστική*

1. ο / ένας Καναδός
2. ________ ταβέρνα
3. ________ σχολείο
4. ________ καθηγητής
5. ________ δρόμος
6. ________ βιβλιοθήκη
7. ________ νοσοκομείο
8. ________ Έλληνας
9. ________ παιδί
10. ________ τράπεζα
11. ________ μάθημα
12. ________ ζαχαροπλαστείο
13. ________ πελάτης
14. ________ ρολόι
15. ________ όνομα
16. ________ Αμερικάνος
17. ________ τηλεόραση
18. ________ κινηματογράφος

3 *Γράψτε το σωστό αριθμητικό*

Το ελληνικό αλφάβητο
Α Β Γ Δ Ε Ζ Η Θ Ι Κ Λ Μ Ν Ξ Ο Π Ρ Σ Τ Υ Φ Χ Ψ Ω

1. Το Ζ είναι το ______έκτο______ γράμμα στο ελληνικό αλφάβητο.
2. Το Ο είναι το ____________ γράμμα στο ελληνικό αλφάβητο.
3. Το Ψ είναι το ____________ γράμμα στο ελληνικό αλφάβητο.
4. Το Γ είναι το ____________ γράμμα στο ελληνικό αλφάβητο.
5. Το Ν είναι το ____________ γράμμα στο ελληνικό αλφάβητο.
6. Το Ρ είναι το ____________ γράμμα στο ελληνικό αλφάβητο.
7. Το Α είναι το ____________ γράμμα στο ελληνικό αλφάβητο.
8. Το Ω είναι το ____________ γράμμα στο ελληνικό αλφάβητο.
9. Το Υ είναι το ____________ γράμμα στο ελληνικό αλφάβητο.

κινηματογράφος ΦΑΝΤΑΣΙΑ	ταβέρνα Η ΓΑΤΑ	ένα πάρκινγκ	ένα ανθοπωλείο

ΟΔΟΣ ΜΑΚΕΔΟΝΙΑΣ — ΟΔΟΣ ΜΑΚΕΔΟΝΙΑΣ

ένας γιατρός	ένας φούρνος	ζαχαροπλαστείο ΑΔΩΝΙΣ	πιτσαρία ΦΑΣΤ	ένας υδραυλικός	βίντεο ΧΙΤΣΚΟΚ
σουβλατζίδικο Ο ΧΑΡΗΣ	ένα καθαριστήριο	ΕΜΠΟΡΙΚΗ ΤΡΑΠΕΖΑ	βιβλιοπωλείο Ο ΠΛΑΤΩΝ	ξενοδοχείο ΚΟΝΤΙΝΕΝΤΑΛ	

ΟΔΟΣ ΑΡΙΣΤΟΤΕΛΟΥΣ — ΟΔΟΣ ΑΡΙΣΤΟΤΕΛΟΥΣ

ΣΙΝΕ ΣΠΟΡΤΙΝΓΚ	ένας φούρνος / ένα χαρτοπωλείο	X	ένα σχολείο	ένα πάρκο

4 *Είστε στο σημείο Χ. Κοιτάξτε το σχεδιάγραμμα και συμπληρώστε τις προτάσεις*

1. Υπάρχει _κανένα_ καθαριστήριο στην οδό Αριστοτέλους;
   Ναι, υπάρχει _ένα δίπλα_ ______________.
2. Μήπως ξέρεις πού είναι ο κινηματογράφος ΦΑΝΤΑΣΙΑ;
   Ναι, είναι _στην οδό_ ______________.
3. Υπάρχει __________ γιατρός στην οδό Αριστοτέλους;
   Όχι, δεν υπάρχει. Υπάρχει όμως ______________.
4. Υπάρχει __________ πιτσαρία εδώ κοντά;
   Ναι, υπάρχει ______________.
5. Συγνώμη, πού είναι το ξενοδοχείο ΚΟΝΤΙΝΕΝΤΑΛ;
   Είναι ______________.
6. Υπάρχει __________ ταβέρνα εδώ κοντά;
   Ναι, υπάρχει ______________.
7. Υπάρχει __________ σουβλατζίδικο στην οδό Μακεδονίας;
   Όχι, δεν υπάρχει. Υπάρχει όμως ______________

Θυμάστε;

	Αρσενικό	Θηλυλό	Ουδέτερο
Ονομαστική	ένας/κανένας	μία/καμία	ένα/κανένα
Αιτιατική	ένα(ν)/κανένα(ν)	μία/καμία	ένα/κανένα

5 *Βάλτε τις αντωνυμίες και τα άρθρα στην ονομαστική ή την αιτιατική, ανάλογα*

1. Υπάρχει ___καμιά___ ταβέρνα κοντά στο σπίτι σου;
   Όχι, δεν υπάρχει ____________ .
2. Ξέρεις ___κανέναν___ ηλεκτρολόγο εδώ κοντά;
   Ναι, ξέρω ____________ . Είναι αρκετά κοντά.
3. Υπάρχει ____________ φαρμακείο κοντά στο σχολείο;
   Όχι, δεν υπάρχει ____________ .
4. Εσύ βλέπεις ____________ πιτσαρία δίπλα στην τράπεζα;
   Ναι, βλέπω ____________ .
5. Υπάρχει ____________ γιατρός δίπλα στο σχολείο;
   Εγώ δεν ξέρω ____________ .
6. Ξέρεις ____________ σινεμά κοντά στην πλατεία;
   Ναι, υπάρχει ____________ δίπλα στο πάρκινγκ.
7. Υπάρχει ____________ καλός φούρνος εδώ κοντά;
   Υπάρχει ____________ στην οδό Σούτσου αλλά δεν ξέρω πόσο καλός είναι.

6 *Κοιτάξτε πάλι το σχεδιάγραμμα και βάλτε στα κενά τη σωστή λέξη*

Στον ___πρώτο___ δρόμο αριστερά από το σημείο Χ υπάρχει ένας ____________ και ____________ σινεμά. Το σινεμά ____________ ΣΠΟΡΤΙΝΓΚ. Δεξιά υπάρχει ____________ σχολείο κι ____________ πάρκο. Υπάρχει και ____________ φούρνος πιο πάνω, στην ____________ Μακεδονίας. Δίπλα στον δεύτερο φούρνο αριστερά υπάρχει ένας γιατρός ενώ ____________ βρίσκεται ____________ ζαχαροπλαστείο ΑΔΩΝΙΣ. Στον πρώτο ____________ δεξιά, απέναντι ____________ το σχολείο και το πάρκο, υπάρχει ____________ βιβλιοπωλείο κι ένα ξενοδοχείο. ____________ ξενοδοχείο λέγεται ΚΟΝΤΙΝΕΝΤΑΛ. Στον ____________ δρόμο δεξιά, απέναντι από το πάρκινγκ ____________ από το ανθοπωλείο, υπάρχει ____________ πιτσαρία, ____________ υδραυλικός και ____________ βίντεο κλαμπ. Το πάρκινγκ είναι κοντά ____________ κινηματογράφο ΦΑΝΤΑΣΙΑ αλλά είναι ____________ από το Σινέ Σπόρτινγκ. Στην ____________ Μακεδονίας αριστερά ____________ μια ταβέρνα. ____________ ταβέρνα είναι ακριβώς ____________ από το ____________ ΑΔΩΝΙΣ.

7 *Βάλτε ένας/έναν, μια ή ένα, ανάλογα. Γράψτε και πόσο κάνουν σε δραχμές*

1. "Πόσο κάνει _ένας_ ελληνικός καφές;" "Κάνει _τετρακόσιες_ ." (400)
2. "Θα ήθελα _______ τυρόπιτα. Πόσο έχει;" "Έχει _________________________." (750)
3. "Πόσο κάνει _______ τοστ με τυρί;" "Κάνει _________________________." (870)
4. "Θα ήθελα _______ χυμό πορτοκάλι. Πόσο έχει;" "Έχει _________________________." (800)
5. "Πόσο κάνει _______ μπίρα;" "Κάνει _________________________." (1.000)
6. "Θα ήθελα _______ κρουασάν. Πόσο έχει;" "Έχει _________________________." (360)
7. "Πόσο κάνει _______ ποτήρι κρασί;" "Κάνει _________________________." (900)
8. "Θα ήθελα _______ πάστα σοκολάτα. Πόσο έχει;" "Έχει _________________________." (700)
9. "Πόσο κάνει _______ γαλλικός καφές;" "Κάνει _________________________." (630)

8 *Βάλτε στα κενά τη σωστή λέξη*

Αντρέας Παρακαλώ.
Σερβιτόρα Ορίστε, ____________ .
Αντρέας Μια τυρόπιτα και ____________ μπίρα.
Σερβιτόρα Μάλιστα. ____________ ;
Καίτη Εγώ θέλω ____________ τοστ ____________ τυρί κι ____________ ελληνικό καφέ.
Σερβιτόρα Μέτριο;
Καίτη ____________ , γλυκό.
Σερβιτόρα Έρχομαι αμέσως. ... Ορίστε η τυρόπιτα και ____________ μπίρα.
Και εδώ είναι ο ελληνικός ____________ και ____________ τοστ.
Αντρέας ____________ είναι όλα μαζί;
Σερβιτόρα Τρεις ____________ διακόσιες.
Αντρέας Ορίστε πέντε χιλιάδες.
Σερβιτόρα Τα ρέστα ____________ . ____________ οχτακόσιες.
Αντρέας Αυτά είναι ______ σάς.
Σερβιτόρα Ευχαριστώ ____________ , κύριε.
Αντρέας ____________ , Καίτη;
Καίτη ________ , πάμε.

Όνομα : ______________________ Βαθμολογία : ____/100

Ημερομηνία : ______________________

1 *Διαλέξτε το σωστό άρθρο* (4 βαθμοί) /4

1. <u>ο</u> / η / το αναπτήρας
2. ο / η / το εφημερίδα
3. ο / η / το αυτοκίνητο
4. ο / η / το πελάτης
5. ο / η / το χαρτοφύλακας
6. ο / η / το όνομα
7. ο / η / το βιβλιοθήκη
8. ο / η / το δίσκος
9. ο / η / το τραπέζι

2 *Γράψτε το αρσενικό ή το θηλυκό, ανάλογα* (4 βαθμοί) /4

Αρσενικό	Θηλυκό	Αρσενικό	Θηλυκό
1. ελεύθερος	ελεύθερη	6. γιατρός	______
2. ______	νοσοκόμα	7. ______	πρώτη
3. γραμματέας	______	8. μεγάλος	______
4. ______	αδελφή	9. ______	καθηγήτρια
5. ωραίος	______		

3 *Βάλτε τη σωστή κατάληξη* (3 βαθμοί) /3

1. Η Μπίρχιτ είναι Ολλανδ<u>έζα</u> .
2. Ο Μάριο είναι Ιταλ______ .
3. Η Μπέτι είναι Αυστραλ______ .
4. Ο Τάρο είναι Γιαπων______ .
5. Η Σούζαν είναι Αγγλ______ .
6. Ο Μπράιαν είναι Καναδ______
7. Ο Γιάννης είναι Έλλην______ .

4 *Συμπληρώστε τα κενά* (6 βαθμοί) /6

1. διακόσιες δεκατρείς ______ δραχμές.
(213)

2. ______ δολλάρια.
(1.653)

3. ______ δραχμές.
(56.104)

4. ______ πεσέτες.
(400.400)

5. ______ δολλάρια.
(1.890.000)

6. ______ φράγκα.
(3.300.000)

7. ______ λίρες.
(180.000.000)

5 *Γράψτε τα αντίθετα* (10 βαθμοί) /10

1. φτηνή ακριβή
2. ωραίος ______
3. μακριά ______
4. μικρό ______
5. πάνω ______
6. καινούρια ______
7. νωρίς ______
8. πάω ______
9. όχι ______
10. αριστερά ______
11. κάτω ______

6 *Βάλτε τα ρήματα στον σωστό τύπο* (10 βαθμοί) /10

1. Εμείς δεν ___μιλάμε___ καλά ελληνικά. (μιλάω)
2. Πού ________________ , Μαρία; (δουλεύω)
3. Η Ειρήνη ________________ τον Νίκο. (αγαπάω)
4. Εσείς από πού ________________ τώρα; (έρχομαι)
5. Τα παιδιά τους δεν ________________ καλά. (τρώω)
6. Η γυναίκα μου κι εγώ δεν ________________ σινεμά. (πάω)
7. Ο Χουάν ________________ πολύ καλά. (οδηγώ)
8. Εσείς συνήθως ________________ νωρίς; (κοιμάμαι)
9. Η πτήση για Παρίσι ________________ στι 2.10 το μεσημέρι. (φεύγω)
10. Ο πατέρας του και η μητέρα του ________________ στη Θεσσαλονίκη. (μένω)
11. Εσύ τι ώρα ________________ το πρωί; (ξυπνάω)

7 *Βάλτε ουσιαστικά και επίθετα στην ονομαστική ή την αιτιατική* (8 βαθμοί) /8

1. Η Μαίρη δεν θέλει ___την παλιά τηλεόραση___ . (η παλιά τηλεόραση)
2. Μ' αρέσει πολύ ________________________________ . (το καινούριο βιβλίο)
3. Ξέρετε ________________________________ ; (ο Ολλανδός δικηγόρος)
4. Ποιος είναι αυτός ________________________________ ; (ο ωραίος κύριος)
5. Δεν θέλω ________________________________ . (το μικρό τασάκι)
6. Εμείς έχουμε ________________________________ . (η ακριβή βιβλιοθήκη)
7. Αυτός ________________________________ είναι πολύ ακριβός . (ο μικρός χαρτοφύλακας)
8. Το βιβλίο είναι για ________________________________ . (η καινούρια μαθήτρια)
9. Ποιος θέλει ________________________________ ; (το φτηνό άγαλμα)

8 *Γράψτε τις ερωτήσεις* (15 βαθμοί) /15

1. *Από πού είναι ο Μάικ* ; Είναι από την Αμερική.
2. ________________ ; Είναι ο καθηγητής μας.
3. ________________ ; Ναι. Το τηλέφωνό μου είναι 823457.
4. ________________ ; Ναι, υπάρχει μία δίπλα στό σινεμά.
5. ________________ ; Ναι, έχουμε δύο αγόρια.
6. ________________ ; Όχι, είμαι ελεύθερος.
7. ________________ ; Είμαι 27 χρονών.
8. ________________ ; Λέγομαι Κώστας Παπαϊωάννου.
9. ________________ ; Κάνει 12.000 δραχμές.
10. ________________ ; Ναι, μ' αρέσει πολύ.
11. ________________ ; Έρχομαι από το σπίτι.

9 *Απαντήστε* (15 βαθμοί) /15

1. Πώς σε λένε; ________________ .
2. Από πού είσαι; ________________ .
3. Πού μένεις; ________________ .
4. Έχεις τηλέφωνο; ________________ .
5. Μιλάς ελληνικά; ________________ .
6. Είσαι παντρεμένος/η; ________________ .
7. Έχεις παιδιά; ________________ .
8. Τι δουλειά κάνεις; ________________ .
9. Τι ώρα ξυπνάς το πρωί; ________________ .
10. Το αυτοκίνητό σου είναι παλιό; ________________ .
11. Πού μαθαίνεις ελληνικά; ________________ .

10 *Γράψτε τι ώρα είναι* (5 βαθμοί)

/5

1. (2.10 μ.μ.) Είναι δύο και δέκα το μεσημέρι .
2. (6.10 π.μ.) ______ .
3. (12.45 μ.μ.) ______ .
4. (5.25 μ.μ.) ______ .
5. (8.55 π.μ.) ______ .
6. (11.30 μ.μ.) ______ .

11 *Γράψτε το σωστό* (5 βαθμοί)

/5

1. Ο αδερφός μου έρχεται στο σπίτι β Κυριακή.
   α. στην β. την γ. το
2. Ο καθηγητής μας είναι _____ χρονών.
   α. σαράντα τριών β. σαράντα τρεις γ. σαράντα τρία
3. Υπάρχει _____ αναπτήρας στο σπίτι;
   α. κανένα β. καμιά γ. κανένας
4. Το κατάστημα είναι ανοιχτό από _____ 8 π.μ. ώς _____ 5 μ.μ.
   α. στις/στις β. τις/τις γ. την/την
5. _____ μάθημα είναι εύκολο.
   α. Αυτό το β. Αυτή η γ. Αυτόν τον
6. Το ταμείο είναι _____ όροφο.
   α. στο πρώτο β. πρώτος γ. στον πρώτο
7. Θα ήθελα _____ καφέ και _____ τυρόπιτα.
   α. έναν/μία β. ένας/μία γ. μία/ένα
8. Ξέρω _____ καθηγήτρια. Είναι πολύ καλή.
   α. αυτήν την β. αυτή η γ. αυτόν τον
9. _____ λέμε στα ελληνικά "television";
   α. Πώς σε β. Πού γ. Πώς
10. Συγνώμη. Ποιος _____ ;
    α. εσύ β. είστε γ. εσείς
11. Ο Όσκαρ _____ καθόλου ελληνικά.
    α. δεν μιλάει β. μιλάει γ. όχι μιλάει

12 *Γράψτε μια παράγραφο για σάς. Γράψτε* /15

(α) πώς σας λένε
(β) από πού είστε
(γ) τι δουλειά κάνετε
(δ) πού μένετε
(ε) το τηλέφωνό σας
(ζ) αν είστε παντρεμένος/η κτλ.
(η) αν έχετε παιδιά
(θ) αν μιλάτε ελληνικά, αγγλικά κτλ.
(ι) τι ώρα ξυπνάτε το πρωί
(κ) συνήθως τι ώρα φεύγετε και τι ώρα γυρίζετε στο σπίτι
(λ) αν σας αρέσει η Ελλάδα (15 βαθμοί)

Λύσεις

Μάθημα 1

2

1. Ελλάδα 2. μηχανικός 3. Ιταλία 4. δουλειά 5. είστε 6. γεια σας 7. Γαλλία 8. Αγγλία 9. κάνετε 10. πού 11. γιατρός 12. λέγομαι

5

1. την 2. Τι 3. πολύ 4. το 5. Είστε 6. πού 7. σας 8. Είμαι

6

1. καθηγήτρια 2. νοσοκόμα 3. μηχανικός 4. γιατρός 5. γραμματέας 6. διευθύντρια 7. δημοσιογράφος 8. δικηγόρος

7

1. είμαι 2. πού 3. λέγομαι 4. Κανάκης 5. τον 6. δουλειά 7. Ελβετία 8. μηχανικός 9. εσείς 10. από 11. γεια σας 12. διευθύντρια 13. τι 14. πολύ 15. Βέλγιο

Μάθημα 2

2

1. δεσποινίς 2. καθηγήτρια 3. ναι 4. καλησπέρα 5. κάνετε 6. όχι 7. δέκα 8. πόσο 9. εγώ 10. εμείς

5

είμαι / είσαι / είναι / είμαστε / είστε (είσαστε) / είναι

6

1. αυτή 2. εμείς 3. αυτά 4. εσείς 5. ο Γιάννης 6. εγώ 7. αυτοί 8. εσύ 9. εσύ κι εγώ

7

1. είμαι 2. είναι 3. είναι 4. είστε 5. είμαστε 6. είσαι 7. είναι 8. είναι 9. είναι

8

1. είναι 2. είμαστε 3. είναι 4. είστε 5. είναι 6. είσαι 7. είναι 8. είμαι

9

1. είμαι 2. δεν είναι 3. είναι 4. δεν είμαι 5. δεν είμαστε 6. είμαι 7. δεν είναι 8. είμαστε/είστε 9. δεν είμαι

10

1. 7 2. 1 3. 10 4. 2 5. 4 6. 5 7. 3 8. 6 9. 8 10. 0 11. 9

12

κάνετε / Πολύ / καλά / Είναι / είστε / δεν / Είμαι / Γεια σας

13

1. β 2. α 3. γ 4. β

Μάθημα 3

2

είναι / και / δουλεύει / στην / Η / αλλά / Έχουν / τον

3

1. ο 2. η 3. το 4. η 5. το 6. η 7. ο 8. το 9. το 10. ο 11. η 12. ο 13. η 14. το 15. ο

4

1. η / την Ισπανία 2. ο / τον Καναδά 3. το / το Παγκράτι 4. ο / τον Βόλο 5. η / την Αθήνα
6. ο / τον Λίβανο 7. το / το Παρίσι 8. η / την Χάγη

5

1. η / στην Γλυφάδα 2. το / στο Ψυχικό 3. ο / στον Χολαργό 4. ο / στον Πειραιά 5. η / στην Δάφνη
6. το / στο Κολωνάκι 7. ο / στον Ρέντη 8. το / στο Πέραμα

6

1. Η / την 2. Η / στην 3. Το / τον 4. Ο / στην 5. Ο / την 6. Το / στην 7. Ο / την 8. Το / στην
9. Ο / την

7

μένω / μένεις / μένει / μένουμε / μένετε / μένουν(ε)
δουλεύω / δουλεύεις / δουλεύει / δουλεύουμε / δουλεύετε / δουλεύουν(ε)

8

1. η Μαίρη 2. εμείς 3. αυτοί 4. εσείς 5. εγώ 6. η κυρία κι εγώ 7. εσύ 8. αυτός
9. ο Κώστας και αυτή

9

1. έχεις 2. έχουμε 3. έχει 4. έχουμε 5. έχετε 6. έχω 7. έχουν(ε) 8. έχετε 9. έχετε 10. έχουν(ε)

10

1. αυτός/αυτή/αυτό 2. εμείς 3. εσύ 4. εσείς 5. εγώ 6. εσύ 7. αυτός/αυτή/αυτό 8. εγώ
9. αυτοί/αυτές/αυτά 10. εσείς 11. εσείς 12. αυτοί/αυτές/αυτά

11

1. 12 2. 20 3. 17 4. 98 5. 32 6. 50 7. 79 8. 41 9. 100 10. 83 11. 65 12. 14

13

- Γεια σας, κυρία Δημαρά. Τι κάνετε;
- Πολύ καλά, ευχαριστώ. Εσείς;
- Είμαι καλά, ευχαριστώ.
- Αλήθεια, πού μένετε;
- Μένουμε στον Βύρωνα. Εσείς;
- Εμείς μένουμε στο Παγκράτι.

14

1. α 2. β 3. γ 4. β

Μάθημα 4

4

1. 130 2. 560 3. 828 4. 182 5. 374 6. 444 7. 107 8. 953 9. 296 10. 888

5

1. ακριβώς 2. εξακόσια 3. λέγεστε 4. τηλέφωνο 5. ελεύθερη 6. χίλια 7. πλατεία 8. οδός
9. παντρεμένος 10. μας 11. αντίο 12. εννιακόσια

6

Άστριντ : Γεια σας.
Γραμματέας : Γεια σας. Πώς λέγεστε, παρακαλώ;
Άστριντ : Μπάουερ. Άστριντ Μπάουερ.
Γραμματέας : Από πού είστε;
Άστριντ : Είμαι από τη Γερμανία, από το Ανόβερο.
Γραμματέας : Και πού μένετε;
Άστριντ : Στο Παλιό Φάληρο.
Γραμματέας : Πού ακριβώς στο Παλιό Φάληρο;
Άστριντ : Νηρέως 17.
Γραμματέας : Τηλέφωνο έχετε;
Άστριντ : Ναι. Το τηλέφωνό μου είναι 9844730.
Γραμματέας : Είστε παντρεμένη;
Άστριντ : Όχι, είμαι ελεύθερη.
Γραμματέας : Εντάξει, δεσποινίς Μπάουερ. Ευχαριστώ.
Άστριντ : Παρακαλώ. Αντίο σας.

7

1. Το παιδί της μένει (στο Κολωνάκι).
2. Η καθηγήτριά μου/μας μένει (στην Αθήνα).
3. Ο γιατρός μου/μας είναι από (την Ρώμη).
4. Όχι, η γυναίκα μου δεν δουλεύει στο Ηράκλειο. Δουλεύει (στην Θεσσαλονίκη).
5. Ο δικηγόρος του είναι από (την Ελλάδα).
6. Ο πατέρας της είναι (διπλωμάτης).
7. Όχι, ο καθηγητής μου δεν είναι από την Θεσσαλονίκη. Είναι από (την Πάτρα).

9

1. Λάθος 2. Σωστό 3. Σωστό 4. Λάθος 5. Λάθος 6. Σωστό 7. Λάθος 8. Σωστό 9. Λάθος

Μάθημα 5

2

μιλάω / μιλάς / μιλάει / μιλάμε / μιλάτε / μιλάνε

3

1. αυτή 2. εμείς 3. αυτά 4. εσείς 5. ο Γιώργος 6. εγώ 7. αυτοί 8. εσύ 9. εσύ κι εγώ

4

1. μένουν 2. παιδιά 3. είμαστε 4. πεντακόσια 5. ναι 6. ελληνικά 7. ευχαριστώ 8. Παρίσι
9. ελεύθερη 10. γιος 11. έχεις 12. μητέρα

5

1. γαλλικά 2. γερμανικά 3. ελληνικά 4. αραβικά 5. γιαπωνέζικα 6. ισπανικά 7. κινέζικα 8. σουηδικά
9. αγγλικά

6

1. μιλάει αγγλικά 2. δεν μιλάω γαλλικά 3. μιλάνε ισπανικά 4. δεν μιλάμε κινέζικα 5. μιλάει γερμανικά
6. δεν μιλάνε ελληνικά

7

1. φοιτήτρια 2. παντρεμένος 3. νοσοκόμα 4. καθηγητής 5. ελεύθερη 6. αδελφός 7. γραμματέας
8. γιατρός

8

1. Εσείς 2. Εσύ 3. Εσύ 4. Εσείς 5. Εσείς 6. Εσύ 7. Εσείς 8. Εσύ 9. Εσείς

9

1. ο άντρας της 2. ο γιος της 3. η κόρη της 4. η γυναίκα του 5. ο γιος του 6. η κόρη του 7. ο πατέρας του 8. η μητέρα του 9. η αδελφή του 10. ο πατέρας της 11. η μητέρα της 12. ο αδελφός της

11

(Πιθανός διάλογος)

- Και πώς σε λένε;
- Με λένε Φρανσουάζ.
- Είσαι από την Γαλλία;
- Ναι. Από το Στρασβούργο.
- Ωραία. Και πού μένεις τώρα;
- Μένω στην Κυψέλη.
- Πού ακριβώς;
- Αγίας Ζώνης 4.
- Έχεις τηλέφωνο;
- Ναι, έχω. Το τηλέφωνό μου είναι 8224456.
- Εντάξει, ευχαριστώ.
- Παρακαλώ. Αντίο.

Μάθημα 7

2

1. το 2. η 3. το 4. ο 5. το 6. ο 7. το 8. η 9. το 10. ο 11. η 12. το

3

1. το μολύβι 2. η βιβλιοθήκη 3. το Παρίσι 4. η Ελένη 5. η γραφομηχανή 6. το ρολόι 7. η Ρώμη 8. το κορίτσι 9. το σπίτι 10. η τηλεόραση 11. το Βουκουρέστι 12. η αδελφή

4

1. βιβλίο 2. εγώ 3. μένω 4. παρακαλώ 5. αυτός 6. αυτοκίνητο 7. δουλεύω 8. εκατό 9. παρακαλώ 10. πώς 11. δίσκος 12. καταλαβαίνω

5

1. Αυτό το 2. Αυτή η 3. Αυτός ο 4. Αυτό το 5. Αυτή η 6. Αυτός ο 7. Αυτό το 8. Αυτή η 9. Αυτό το

6

1. ο 2. Αυτό 3. Αυτή 4. το 5. ο 6. αυτή 7. το 8. η 9. Αυτός

7

(α)
1. μία 2. τρεις 3. τέσσερις 4. είκοσι τρεις 5. τριάντα τέσσερις 6. πενήντα μία 7. εκατόν τέσσερις 8. τριακόσιες τριάντα τρεις 9. πεντακόσιες τέσσερις 10. εξακόσιες μία 11. χίλιες πεντακόσιες

(β)
1. ένα 2. τρία 3. τέσσερα 4. είκοσι τρία 5. τριάντα τέσσερα 6. πενήντα ένα 7. εκατόν τέσσερα 8. τριακόσια τριάντα τρία 9. πεντακόσια τέσσερα 10. εξακόσια ένα 11. χίλια πεντακόσια

8

1. οχτακόσια πενήντα τέσσερα 2. χίλια τριακόσια 3. τέσσερις χιλιάδες εξακόσια σαράντα
4. εφτακόσιες εβδομήντα χιλιάδες εφτακόσια εβδομήντα 5. τρία εκατομμύρια τετρακόσιες χιλιάδες τετρακόσια

9

ήθελα / Αυτή / κάνει (έχει) / χιλιάδες / Ορίστε / η / σας / Εγώ

Μάθημα 8

2

1. ζ 2. ε 3. δ 4. γ 5. β 6. α

3

1. Αυτή η ομπρέλα είναι ακριβή. 2. Αυτό το κασετόφωνο είναι παλιό. 3. Αυτός ο αναπτήρας είναι καλός.
4. Αυτό το σπίτι είναι καινούριο. 5. Αυτός ο καθρέφτης είναι φτηνός. 6. Αυτή η ταβέρνα είναι μικρή.
7. Αυτό το όνομα είναι ωραίο. 8. Αυτός ο δίσκος είναι καινούριος. 9. Αυτή η ζώνη είναι φτηνή.
10. Αυτό το αυτοκίνητο είναι άσχημο. 11. Αυτό το ρολόι είναι μοντέρνο. 12. Αυτή η πλατεία είναι μικρή.
13. Αυτός ο αριθμός είναι μεγάλος. 14. Αυτό το άγαλμα είναι παλιό.

4

1. ακριβή 2. άσχημος 3. καινούρια 4. μεγάλο 5. παλιό 6. μικρή 7. ακριβός 8. ωραία 9. φτηνό
10. μικρός 11. καινούριος 12. ωραίο

5

1. Ολλανδέζα 2. Γιαπωνέζος 3. Βέλγος 4. Αγγλίδα 5. Γερμανός 6. Σουηδέζα 7. Ισπανίδα 8. Ιταλός
9. Ελληνίδα 10. Καναδός 11. Ρωσίδα 12. Κινέζος 13. Αμερικανίδα 14. Αιγύπτιος

6

1. Έλληνας 2. Κινέζα 3. Σουηδός 4. Γερμανίδα 5. Ισπανός 6. Βραζιλιάνα 7. Φινλανδός
8. Αμερικανίδα 9. Αιγύπτιος 10. Ελβετίδα 11. Πορτογάλος 12. Ινδή

7

είναι / μένει / Είναι / Έχουν / δουλεύει / είναι / δουλεύει / μιλάει / μιλάνε

8

1. Ο Γιάννης δεν είναι καθόλου ωραίος αλλά είναι καλός καθηγητής.
(Ο Γιάννης δεν είναι καθόλου καλός καθηγητής αλλά είναι ωραίος.)
2. Η Ελένη δουλεύει με μια Γερμανίδα γιατρό.
3. Ποια είναι αυτή η ωραία γυναίκα δίπλα στο μπαρ;
4. Αυτό το ρολόι είναι καλό αλλά είναι λίγο ακριβό.

9

1. Ποιος είναι αυτός;
2. Ποια είναι αυτή;
3. Ποιος είναι αυτός;
4. Ποια είναι αυτή;
5. Ποιος είναι αυτός;
6. Ποια είναι αυτή;

10

1. Η κυρία Μασκάνι είναι Ιταλίδα αλλά δεν δουλεύει στην Ιταλία.
2. Ο κύριος Μάρκες είναι Μεξικανός αλλά δεν δουλεύει στο Μεξικό.
3. Η κυρία Νικολαΐδη είναι Ελληνίδα αλλά δεν δουλεύει στην Ελλάδα.
4. Ο κύριος Βάλτερ είναι Γερμανός αλλά δεν δουλεύει στη Γερμανία.
5. Η κυρία Κριστόβνα είναι Βουλγάρα αλλά δεν δουλεύει στη Βουλγαρία.

Μάθημα 9

1

1. ακριβή 2. λεπτό 3. ωραίος 4. Ισπανίδα 5. μεγάλο 6. Αυστραλέζα 7. άσχημη 8. Έλληνας 9. αυτός 10. ευχαριστημένη 11. μικρός 12. Γερμανός

2

κάνω / κάνεις / κάνει / κάνουμε / κάνετε / κάνουν(ε)
μιλάω / μιλάς / μιλάει / μιλάμε / μιλάτε / μιλάνε
πάω / πας / πάει / πάμε / πάτε / πάνε
έρχομαι / έρχεσαι / έρχεται / ερχόμαστε / έρχεστε / έρχονται

3

1. εσύ 2. εγώ 3. η Μαρία 4. ο Γιάννης 5. εσείς 6. εμείς 7. αυτές 8. εμείς 9. εσύ κι εγώ 10. τα παιδιά 11. εγώ 12. εσύ

4

1. μιλάω 2. έρχονται 3. τρώτε 4. λες 5. μιλάνε 6. ερχόμαστε 7. πας 8. βρίσκεται 9. ρωτάτε 10. ενδιαφέρεται

5

1. μιλάς 2. βρίσκεται 3. αγαπάει 4. έρχεστε 5. τρώνε 6. πάμε 7. έρχεται 8. μιλάτε 9. ενδιαφέρεσαι

6

1. τον φίλο 2. την τηλεόραση 3. το βιβλίο 4. τον αναπτήρα 5. το μάθημα 6. την ομπρέλα 7. το σπίτι 8. τον πελάτη 9. την εφημερίδα 10. τον δίσκο 11. το βάζο 12. το ρήμα

7

1. Αυτό το παιδί 2. την μητέρα 3. Η κυρία Ελένη 4. τον Κώστα 5. Αυτός ο κύριος 6. αυτή τη νοσοκόμα 7. Ο Αλέξανδρος 8. το αυτοκίνητό 9. Το κορίτσι μας 10. τον διευθυντή

8

1. τον καλό δικηγόρο / τον παλιό πελάτη / τον καλό πατέρα
2. τον ακριβό δίσκο / τον ωραίο καθρέφτη / τον ακριβό πίνακα
3. την καλή κόρη / την φτηνή ομπρέλα
4. την ωραία βιβλιοθήκη / την καινούρια νοσοκόμα
5. το καλό βιβλίο / το καλό παιδί / το καινούριο μάθημα
6. το καινούριο γραφείο / το παλιό ρολόι / το ωραίο όνομα

9

1. την παλιά τηλεόραση 2. το καινούριο βιβλίο 3. Η καινούρια γραμματέας 4. τον Ολλανδό δικηγόρο 5. ο ωραίος κύριος 6. το μικρό τασάκι 7. την ακριβή βιβλιοθήκη 8. Ο καινούριος γιατρός 9. το μεγάλο κασετόφωνο

10

1. πώς 2. Ποιος 3. πού 4. Ποια 5. πόσο 6. Πώς 7. πού 8. Πόσο 9. Πώς

11

1. είκοσι τριών 2. σαράντα ενός 3. τεσσάρων 4. εβδομήντα εφτά 5. πενήντα τεσσάρων 6. τριάντα πέντε 7. δεκατριών

Μάθημα 10

1

Ο Πάνος είναι από την Κρήτη και ζει στη Θεσσαλονίκη. Είναι ηλεκτρολόγος. Είναι παντρεμένος με την Ελένη και μένουνε στην οδό Μητροπόλεως, κοντά στο κέντρο. Η Ελένη δουλεύει στο νοσοκομείο "ΑΧΕΠΑ". Κι εγώ είμαι από την Κρήτη αλλά δουλεύω στην Αθήνα. Με λένε Γιώργο, είμαι ελεύθερος και μένω στο Περιστέρι.

2

1. έντεκα και μισή (εντεκάμισι) 2. τρεις παρά τέταρτο 3. δώδεκα και είκοσι 4. έξι και δέκα
5. μία και τέταρτο 6. δέκα παρά δέκα 7. οχτώ και είκοσι πέντε 8. τέσσερις παρά είκοσι πέντε
9. πέντε και μισή (πεντέμισι)

3

οδηγώ / οδηγείς / οδηγεί / οδηγούμε / οδηγείτε / οδηγούν(ε)
θυμάμαι / θυμάσαι / θυμάται / θυμόμαστε / θυμάστε / θυμούνται

4

1. εσύ 2. εγώ 3. η Άννα 4. ο Χάρης 5. εσείς 6. αυτές 7. αυτοί 8. εμείς 9. εσύ κι εγώ
10. τα παιδιά 11. εγώ 12. εσύ

5

1. μπορώ 2. κοιμούνται 3. ζείτε 4. θυμάσαι 5. οδηγούν(ε) 6. κοιμόμαστε 7. αργείς 8. λυπάται
9. θυμάστε 10. τηλεφωνεί

6

1. οδηγείς 2. κοιμάται 3. θυμάστε 4. ζει 5. αργούν(ε) 6. θυμάσαι 7. μπορεί 8. ζουν(ε) 9. λυπάται

7

1. στις εννιά και δέκα το πρωί 2. Την Κυριακή / τις έντεκα 3. την Πέμπτη, στις έξι το απόγευμα
4. στις τέσσερις και είκοσι το πρωί 5. στη μία και μισή το μεσημέρι 6. τη Δευτέρα το βράδυ
7. τις εννιά το πρωί / τις πέντε το απόγευμα

8

1. ανοίγει / κλείνει 2. είναι ανοιχτή 3. είναι κλειστό 4. στις / στις 5. είναι ανοιχτό

9

1. Τι μέρα είναι σήμερα; 2. Ποιος είναι αυτός; 3. Τι ώρα ανοίγει (το σχολείο); 4. Τι ώρα ξυπνάς;
5. Τι ώρα είναι, παρακαλώ; 6. Τι ώρα είναι το ραντεβού; 7. Το πρωί τρως καλά; 8. Σ' αρέσει (το τζιν);

11

1. Την / συνήθως 2. Την / συνήθως 3. Την / πάντα 4. Την / ποτέ 5. Την / καμιά φορά
6. Την / συχνά (πολλές φορές) 7. Την / σπάνια 8. Καμιά φορά / το 9. Την / πάντα

12

1. βράδυ 2. ποτέ 3. έρχομαι 4. τελειώνω 5. κοιμάμαι 6. συχνά 7. ανοίγω 8. φεύγω 9. κλειστό

Μάθημα 11

1

Η Ελένη είναι Ελληνίδα και ζει στη Θεσσαλονίκη. Είναι γραμματέας σ' ένα σχολείο. Το πρωί ξυπνάει στις εφτά. Πίνει έναν καφέ και φεύγει. Δουλεύει κάθε μέρα από τις οχτώ ώς τις δύο. Το Σάββατο δεν δουλεύει.

2

1. ο/ένας 2. η/μια 3. το/ένα 4. ο/ένας 5. ο/ένας 6. η/μια 7. το/ένα 8. ο/ένας 9. το/ένα 10. η/μια
11. το/ένα 12. το/ένα 13. ο/ένας 14. το/ένα 15. το/ένα 16. ο/ένας 17. η/μια 18. ο/ένας

3

1. έκτο 2. δέκατο πέμπτο 3. εικοστό τρίτο 4. τρίτο 5. δέκατο τρίτο 6. δέκατο έβδομο 7. πρώτο 8. εικοστό τέταρτο 9. εικοστό

4

1. κανένα / ένα δίπλα στην τράπεζα
2. στην οδό Μακεδονίας, δίπλα στην ταβέρνα
3. κανένας / ένας στην οδό Μακεδονίας, απέναντι από τον κινηματογράφο
4. καμιά / μία στην οδό Μακεδονίας, δίπλα στον υδραυλικό
5. στην οδό Αριστοτέλους, δίπλα στο βιβλιοπωλείο
6. καμιά / μία στην οδό Μακεδονίας, δίπλα στο σινεμά
7. κανένα / ένα στην οδό Αριστοτέλους, απέναντι από το Σινέ Σπόρτινγκ

5

1. καμιά / καμία 2. κανέναν / ένα(ν) 3. κανένα / κανένα 4. καμιά / μία 5. κανένας / κανένα(ν) 6. κανένα / ένα 7. κανένας / ένας

6

πρώτο / φούρνος / ένα / λέγεται / ένα / ένα / ένας / οδό / δεξιά / το / δρόμο / από / ένα / Το / δεύτερο / και / μια / ένας / ένα / στον / μακριά / οδό / υπάρχει / Η / απέναντι / ζαχαροπλαστείο

7

1. ένας / τετρακόσιες 2. μια / εφτακόσιες πενήντα 3. ένα / οχτακόσιες εβδομήντα 4. ένα / οχτακόσιες 5. μια / χίλιες 6. ένα / τριακόσιες εξήντα 7. ένα / εννιακόσιες 8. μια / εφτακόσιες 9. ένας / εξακόσιες τριάντα

8

παρακαλώ / μια / Εσείς / ένα /με / έναν / όχι / η / καφές / το / Πόσο / χιλιάδες / σας / χίλιες / σάς / πολύ / Πάμε / Ναι

Εξέταση Προόδου (Μαθήματα 1-12)

1

1. ο 2. η 3. το 4. ο 5. ο 6. το 7. η 8. ο 9. το

2

1. ελεύθερη 2. νοσοκόμος 3. γραμματέας 4. αδελφός 5. ωραία 6. γιατρός 7. πρώτος 8. μεγάλη 9. καθηγητής

3

1. Ολλανδέζα 2. Ιταλός 3. Αυστραλέζα 4. Γιαπωνέζος 5. Αγγλίδα 6. Καναδός 7. Έλληνας

4

1. διακόσιες δεκατρείς 2. χίλια εξακόσια πενήντα τρία 3. πενήντα έξι χιλιάδες εκατόν τέσσερις 4. τετρακόσιες χιλιάδες τετρακόσιες 5. ένα εκατομμύριο οχτακόσιες ενενήντα χιλιάδες 6. τρία εκατομμύρια τριακόσιες χιλιάδες 7. εκατόν ογδόντα εκατομμύρια

5

1. ακριβή 2. άσχημος 3. κοντά 4. μεγάλο 5. κάτω 6. παλιά 7. αργά 8. έρχομαι 9. ναι 10. δεξιά 11. πάνω

6

1. μιλάμε 2. δουλεύεις 3. αγαπάει 4. έρχεστε 5. τρώνε 6. πάμε 7. οδηγεί 8. κοιμάστε 9. φεύγει 10. μένουν(ε) 11. ξυπνάς

7

1. την παλιά τηλεόραση 2. το καινούριο βιβλίο 3. τον Ολλανδό δικηγόρο 4. ο ωραίος κύριος 5. το μικρό τασάκι 6. την ακριβή βιβλιοθήκη 7. ο μικρός χαρτοφύλακας 8. την καινούρια μαθήτρια 9. το φτηνό άγαλμα

8

1. Από πού είναι ο Μάικ; 2. Ποιος είναι αυτός; 3. Έχεις/έχετε τηλέφωνο; 4. Υπάρχει καμιά (ταβέρνα) εδώ κοντά; 5. Έχετε παιδιά; 6. Είσαι/είστε παντρεμένος; 7. Πόσων χρονών είσαι/είστε; 8. Πώς λέγεστε; 9. Πόσο κάνει (αυτό το βάζο); 10. Σ'/Σας αρέσει (το αυτοκίνητό της); 11. Από πού έρχεσαι/έρχεστε;

10

1. Είναι δύο και δέκα το μεσημέρι. 2. Είναι έξι και δέκα το πρωί. 3. Είναι μία παρά τέταρτο το μεσημέρι. 4. Είναι πέντε και είκοσι πέντε το απόγευμα. 5. Είναι εννιά παρά πέντε το πρωί. 6. Είναι έντεκα και μισή (εντεκάμισι) το βράδυ.

11

1. β 2. α 3. γ 4. β 5. α 6. γ 7. α 8. α 9. γ 10. β 11. α